DE MEESTE MENSEN ZIJN AARDIG

A. J. Klei

De meeste mensen zijn aardig

Met tekeningen van Len Munnik

tweede druk

UITGEVERIJ BALANS

Omslagontwerp: Chaim Mesika
Omslagillustratie: Len Munnik
Foto auteur achterplat: W. Crone/ *Trouw*
Zetwerk: Graphique '84, Amsterdam
Druk: Drukkerij Haasbeek, Alphen ad Rijn
Verspreiding voor België: Uitgeverij Kritak, Leuven

ISBN 90 5018 124 4
NUGI 351

Inhoud

Vooraf

DOORDAT IK NIMMER de gordijnen sluit van mijn aan de straatzijde gelegen werkkamer, kon de baas van Balans, toen hij mijn overbuurman was, mij uit zijn venster gadeslaan, wanneer ik aan mijn schrijftafel een stukje voor de krant zat te vervaardigen. Deze aanblik wekte merkwaardigerwijs bij hem het verlangen, een aantal van mijn stukjes in een boekje te stoppen. Hij maakte dit verlangen aan mij kenbaar, maar ik sprak streng: Daar komt niets van in, mijn stukjes zijn voor de krant en niet voor een boekje! We zijn thans járen verder en ieder die dit bundeltje ter hand neemt, kan moeiteloos vaststellen dat ik overstag ben gegaan. De oorzaak hiervan is gelegen in het feit dat Balans wordt gedreven door een aanhouder en we weten allen wat een aanhouder doet: hij wint.
Met enige bezorgdheid oog ik de stukjes na, die nu in dit boekje uitvliegen. Mogen zij veilig landen!

A.J. Klei

Lief en leed in de trein

Hoewel ze de Volkskrant zat te lezen, zag ze er gezellig en betrouwbaar uit.

Ze deelde met mij een coupé in de trein die me voerde naar een stad in het zuiden des lands, waar ik een afspraak had met een bevriende hervormde predikant.

Mijn medereizigster stak in een gebreid-achtig mantelpak. Van boven had ze sneeuwwit gepermanent haar en van onderen aandoenlijke gemakschoenen. Echt iemand van wie je verwachtte dat ze de blik zou werpen in een rooms streekblad, maar ja, ze had natuurlijk een afvallige zoon en die onverlaat had, toen hij haar naar de trein bracht, gezegd: Ik zal even een krant voor je kopen! – en was daarop met de Volkskrant komen aanzetten.

De vrouw keek meer naar buiten dan in de krant en je zàg haar denken: 'n Lekker zonnetje vandaag!, want het was zonnig weder.

Nee, zij zou het wel niet gedaan hebben. Ik bedoel: mijn portemonnaie wegnemen. Hoewel... ik was even ingedut, vlak voordat zij in 's-Hertogenbosch de trein verliet. Ach, onzin natuurlijk! Zo'n lief mens. Goeie reis verder, meneer!, had ze nog tegen me gezegd bij 't weggaan. Nee, 't klonk heus niet vals of zo.

Dat ik mijn portemonnaie kwijt was, merkte ik overigens pas toen ik op de plaats van mijn bestemming op weg was naar de uitgang van het station. Al lopend zocht ik in mijn jek een veilig plekje voor mijn retourbiljet en tijdens deze bezigheid ontdekte ik het gemis.

Terstond draafde ik terug naar het perron. De trein stond er gelukkig nog en hijgend klampte ik een dienstdoende conducteur aan: In deze wagon, hier bij de trap, heb ik waarschijnlijk mijn portemonnaie laten liggen. Kan ik even kijken of-t-ie er nog is, of rijdt de trein meteen weg?

Deze trein vertrekt pas wanneer ik daarvoor het sein geef!, verklaarde de man waardig en op vaderlijke toon voegde hij eraan toe: We gaan eens even voor u zoeken.

Bij hem voegde zich nog een employé van de spoorwegen. Deze nu was een kleurling en zo geviel het dat even later in de door mij aangewezen coupé blank en bruin zich bogen over alle hoeken en gaten. Wat mooi, zo'n multiraciale speuractie!, dacht ik hooggestemd.

Niets te vinden, meneer, meldde de conducteur. Of ik wel zeker wist dat ik in deze coupé had gezeten?

Ja, ik kon me niet vergissen, het was de eerste na de ingang.

Laten we toch maar eens in de volgende kijken, opperde de andere spoorwegmeneer – en weldra tastten de beide mannen ook daar de zitplaatsen en de vloer af.

Intussen maakte zich een zekere ongerustheid meester van de passagiers. Wat was er aan de hand? Een bommelding..?

Ik heb mijn portemonnaie verloren, legde ik uit, maar deze mededeling leek eerder wantrouwen dan medelijden te wekken.

Ook het onderzoek in de tweede coupé leverde niets op. Het geüniformeerde tweetal wilde zich al op een derde storten, maar ik weerhield hen: daar was ik heus niet geweest.

De mannen vonden het kennelijk jammer dat het was

afgelopen. Bent u onderweg nog naar de wc geweest?, vroeg een van hen hoopvol en na mijn bevestigend antwoord stoven zij naar het treingemak (het woord is van Gerard Reve), doch tevergeefs.

Ik dankte de beide heren voor hun moeite en slofte zonder een cent op zak naar de uitgang, waar de bevriende hervormde predikant me pastoraal opving.

Waarom ik dit hele verhaal doe?

Om twee redenen. 1. Om te vertellen dat meneer Ploeger van de spoorwegen bijzonder aardige mensen in dienst heeft en 2. om het verdriet over de verloren portemonnaie van me af te schrijven.

Het wonder in het portaal

Ik moet ongeveer een kwartier fietsen om mijn...

Deze zin maak ik niet af, want opeens valt me iets in.

Je hebt tegenwoordig lieden die niet gewoon praten, maar woorden gebruiken uit de boekjes die ze met het oog op hun betrekking hebben moeten bestuderen. Een poosje terug was er op de televisie een jonge vrouw, die vertelde over haar werk bij bejaarden. Ze zei: Ik kom ook bij de mensen in hun thuissituatie...

De schat! Ze bedoelde natuurlijk: Ik kom ook bij de mensen thuis. Ze had ook kunnen zeggen: Ik kom bij hen over de vloer. Maar tijdens haar opleiding was haar dat gekke woord 'thuissituatie' bijgebracht met als droevig gevolg dat ze zich nu zo vreemd uitdrukte.

Om een beetje met dit malle woordgebruik te spotten, had ik dit stukje zó willen beginnen: Ik moet ongeveer een kwartier fietsen om mijn werksituatie te bereiken.

Maar... en nu volgt hetgeen me te binnen schoot: je hebt alle kans dat er lezers zijn die dan denken dat ik ècht zulke woorden op mijn lippen neem. Daarom begin ik opnieuw: Ik moet ongeveer een kwartier fietsen om de krant te bereiken. Hierbij kan worden aangetekend dat mijn tempo vrij bedaard is.

Deze bijzonderheden verschaf ik om aan te geven dat ik bij neerslag genoodzaakt ben, mij voor mijn dagelijkse rit in een regenpak te steken. Ik bezit zo'n Westerterp-pak dat je over je gewone goed aantrekt. Het laat geen druppel regen door, dat wel, maar het wordt van binnen vochtig, gelijk de gebruikers weten. Er komt bij dat althans ik er in deze uitmonstering uitzie als een verlepte vogelverschrikker.

Ik ben wel eens op zoek geweest naar iets anders. In een speciale zaak voor sportkleding hadden ze een regenpak dat, naar de winkeljuffrouw verklaarde, 'ademde'.

Deze op zichzelf aantrekkelijke hoedanigheid bood als nadeel dat het pak toch niet volledig was bestand tegen regen. Omdat het ademende pak bovendien honderden guldens kostte, zag ik van de aanschaf af.

Het blijft dus Westerterp waarin ik me bij gulle regenval hul. Aangezien ik een ijdeltuit ben, heb ik ongaarne dat iemand mij erin waarneemt. Onlangs besloot ik, me in deze uitrusting ook niet aan de portier van de krant te vertonen. Dit leidde ertoe dat ik me van het regenpak ontdeed in het portaal, via hetwelk je de hal bereikt waar de portier zetelt. Dit portaal betreed en verlaat je via glazen deuren die bij je nadering vanzelf opengaan. De techniek staat voor niets.

Ik ging zitten op de radiator van de verwarming tegen de zijwand van het portaal en trok om te beginnen het jasje van mijn regenpak uit. Daarna ging ik ertoe over, mijn benen te bevrijden uit de regenpakbroek. Een moeizaam karwei, omdat ik hierbij mijn schoenen aanhield (om te voorkomen dat ik ze straks weer aan zou moeten doen). Ik strekte een been en toen gebeurde er iets wonderlijks: zonder dat er iemand aankwam, ging de glazen deur naar buiten open. Of had ik me dat verbeeld...?

Vervolgens strekte ik mijn andere been en prompt opende zich de glazen deur naar de hal. Nee, 't was geen verbeelding. Ik huiverde. Wat betekende dit? Liepen geesten in en uit? Of waren het beschermengelen die controleerden of ik heelhuids was aangekomen?

Ik stak mijn hand uit om de regenpakjas die op de grond was gevallen op te rapen – en opnieuw gleed het glas van de deur naar de hal opzij. Mijn adem stokte. Was ik getuige van een herhaald wonder? En zou ik op de televisie aan Henk Mochel moeten uitleggen wat er door mij heenging?

Wéér gleed zomaar een deur open. O nee, toch niet. Er kwam een mens van vlees en bloed aan. Opeens drong de waarheid tot me door: tijdens het uittrekken van mijn regenpak waren mijn ledematen zó dicht bij de glazen deuren gekomen dat deze in hun vernuftige eenvoud meenden dat ik in m'n geheel naderde en zich dus voor mij ontsloten.

Opgelucht begroette ik even later de portier. Het regenpak had ik onder mijn arm gemoffeld.

De rechterkniezwel is kapot

OVER MIJN PERIODIEK optreden in het verpleeghuis valt de laatste tijd een schaduw. De rechterkniezwel is kapot.

Je kunt je in de trant van een oud kinderliedje afvragen:

En is er dan geen timmerman
die onze kniezwel maken kan?

Tot dusver blijkbaar niet – en zo zijn binnen de muren van het verpleeghuis de mogelijkheden mij muzikaal uit te drukken, bij voortduring beperkt.

Wat dat is, een rechterkniezwel? En of er ook een linkerkniezwel bestaat?

Neem me niet kwalijk, ik was zo vol van mijn leed dat ik verzuimde dit eerst uit te leggen. Ik zal nu alles zo duidelijk mogelijk vertellen.

Elke derde zondag van de maand fiets ik des morgens naar een aan de rand van de stad gelegen verpleeghuis om in de daar te houden korte kerkdienst de samenzang te begeleiden.

In de zaal waar de dienst is, staan drie muziekinstrumenten: een piano, een elektronisch orgel en een bejaard harmonium. Dit laatste is het speeltuig van mijn keuze. Op de piano ben ik slecht thuis en met al die knoppen van het elektronisch orgel weet ik volstrekt geen weg. Maar aan het vertrouwde harmonium kan ik mij ten volle geven. Dat wil zeggen: mits de rechterkniezwel het doet - en die doet het niet.

Een harmoniumbespeler gebruikt niet alleen zijn handen (om de toetsen te beroeren) en zijn voeten (om de trappers te bedienen, voor de windvoorziening), maar ook zijn knieën. Ter hoogte van deze lichaamsdelen is links en rechts ervan aan het instrument een beweegbaar houten uitsteeksel bevestigd. Dit zijn de kniezwellen.

Met een druk van je knie kun je de kniezwel van je afduwen, als gevolg waarvan het geluid van het harmonium toeneemt. De linkerkniezwel bevordert dat je, zonder ook maar één register open te trekken, het geluid produceert dat het harmonium anders voortbrengt bij gebruik van alle registers. De rechterkniezwel is veel spannender, want daarmee kun je het volume van het geluid regelen. Hoe harder je ertegenaan drukt, hoe luider het harmonium klinkt. Hier is sprake van het ware aanzwellen.

Welnu, in de zo belangrijke rechterkniezwel is in het verpleeghuis geen beweging te krijgen en juist daar heb ik hem zo hard nodig. Het soort liederen dat wij aanheffen, vraagt telken male om een aanzwellend geluid.

Wat we dan zingen?

Alles wat Wonno Bleij, de voorzitter van de interkerkelijke stichting voor het kerklied, verbiedt. Zonder blikken of blozen zingen wij uit volle borst en in het door mij aangedikte walstempo 'Ik zie een poort wijd open staan'. Laatst was het weer zo ver en na afloop verzuchtte een vrouw hardop: Hè, heerlijk was dat!

Tot de lievelingsliederen behoort "t Scheepke onder Jezus' hoede' en vooral hierbij mis ik de rechterkniezwel. Aangeland bij de woorden:

En zweept de storm ons voo-h-oort...

placht ik met behulp van de rechterkniezwel het geluid van het harmonium op te zwepen totdat het tot volledige uitbarsting kwam aan het slot:

Wij hebben 's Vaders Zoon aan boord
en 't veilig strand voor 't oog.

Ook in 'Waarheen pelgrims' kun je eigenlijk niet zonder de rechterkniezwel, wil je de zingende gemeente opstuwen naar de herhaling van de regel:

Gaan wij naar die blijde zalen...

Maar we redden ons, want die oude zondagsschoolversjes zijn onverwoestbaar en overleven elk liedboek. Let maar op!

Fluiten op de Spiegelgracht

Op een receptie trof ik een man die pas op rijpere leeftijd links is geworden. Ik heb daar vrede mee, maar het is wel hinderlijk dat hij steeds lucht wenst te geven aan zijn pas verworven inzichten.

Ik ken hem vaag, maar voldoende om hem aanleiding te geven door het feestgewoel op mij af te komen en te vragen hoe ik het maakte. Ik liet weten dat, voor zover ik het kon bekijken, mij geen kwaad genaakte, en om te voorkomen dat hij zou gaan uitpakken over het ons door de huidige regeringscoalitie aangedane leed, begon ik gauw wat te vertellen.

Niets bijzonders. Dit: Een paar weken terug liep ik op een mooie zondagochtend uit de kerk... de Keizersgrachtkerk, zei ik erbij, want deze vindt genade in zijn linkse ogen... via de Spiegelgracht naar huis. Uit tegenovergestelde richting kwam een man aanfietsen die duidelijk genoot van het ons verstrekte fraaie herfstweer. Hij had zijn jek losgeknoopt, zijn kale bol glom in de zon en hij floot schel.

Ik herkende de wijs, het was een oud schoolliedje: Alle man van Neêrlands stam...

Had ik het maar niet verteld! Het was mijn bedoeling met mijn receptiegenoot wat onbestemd te mijmeren over vroeger op de lagere school geleerde versjes die je blijkbaar nooit meer kwijtraakt, maar hij barstte los: Zulke vreselijke teksten hebben tot gevolg dat in ons land lieden rondlopen die de Zuidafrikaanse apartheidspolitiek toejuichen. Het is een fascistisch lied: Neêrlands stam... bah! En dan dat afschuwelijke gekweel over vrije Friezen, ronde Zeeuwen...

Gelre's helden, Hollands leeuwen!, vulde ik moeiteloos aan, want dit fraaie staal van vaderlandslievende liedkunst is er bij mij niet uit te slaan. De ander keek nog somberder.

Het slot is ook mooi, voer ik voort: Stalen vuist en rappe hand, zo is 't volk van Nederland!

Het was mijn oogmerk hem met deze potsierlijke regels wat op te vrolijken, maar hij ging onverdroten door met zijn verhandeling. Als ik hem goed begreep zouden wij, indien wij als kinderen niet dit soort liederen hadden moeten zingen, thans een onbekommerd bestaan leiden onder een vooruitstrevend bewind van klein-links, dat dan natuurlijk gróót-links zou zijn.

Ik was zo onverstandig hem mee te delen dat ik dit grote onzin vond, hetgeen tot gevolg had dat hij onze conversatie aanzienlijk rekte. Hij begon nu over de militaristische toon van: 't Is plicht dat ied're jongen, voor d'onafhank'lijkheid...

Van zijn geliefde vaderland, zijn beste krachten wijdt, zong ik op gedempte toon, want 't was een heel keurige receptie. Ik voegde eraan toe dat ik dit lied meermalen luidkeels gezongen had in de klas en dat de meester ons soms op de maat ervan om de banken heen liet marcheren.

Zie je wel!, riep mijn linkse gesprekspartner uit.

Ik zie niks, wierp ik tegen, ik ben niet in dienst geweest en heb dat nimmer als een gemis ervaren. Trouwens, ik heb als schooljongen ook vaak met overgave gezongen: Hollands vlag, je bent mijn glorie, Hollands vlag, je bent mijn lust... maar ik zou jokken indien ik beweerde dat Hollands vlag ooit mijn lust heeft gewekt.

De ander haalde zijn schouders op en verdween om een

vers glaasje te pakken. Ik volgde zijn voorbeeld en liep toen iemand tegen het lijf die van gereformeerde komaf is en zijn zinnen doorrijgt met fragmenten van oude psalmregels: Zo, laat jij je 't vette van dit huis smaken?

Toen schoot me opeens nog een fraai voorbeeld te binnen van als kind geleerde versregels die heus geen invloed hebben. De psalmregel: Bindt d'offerdieren dan met touwen... heb ik jaren achtereen zo gezongen: Bindt d'officieren dan met touwen...

Toch heb ik nog nooit PSP gestemd.

Zomeravond op een terrasje

AAN DE AVOND van een dag waarop de zon, om met Beets te spreken, vinnig scheen in de straten, zat ik in gezelschap van een met een lichte hang naar de journalistiek behepte sociale geograaf op het terrasje van café Welling.

De warmte hing nog tussen de huizen en er wandelde een dikke heer voorbij, die met een grote zakdoek vlijtig veegde over zijn bezwete voorhoofd. Hij deed me denken aan mr. Hendrik Johannes Bruis uit de Camera Obscura. Misschien was hij op weg naar een oude kennis in de Concertgebouwbuurt... Ik maakte mijn gedachten niet openbaar omdat ik er niet zeker van was of de jeugdige sociale geograaf Beets' meesterwerk kende – en dan moest ik misschien alles uitleggen.

De hoge temperatuur verhinderde mij intussen niet allerlei andere niet-literaire wijsheden uit te kramen en ik was, al zeg ik 't zelf behoorlijk op dreef. Dit kwam doordat mijn metgezel aan het begin van onze conversatie me had gevraagd wat ik deed alvorens de journalistiek in te gaan.

Deze vraag getuigde van het inzicht dat de journalistiek eigenlijk een tweede keus is. Je hebt voor een vak geleerd, je oefent dat vak uit, maar het bevalt je niet en dan probeer je het als journalist. Het is echter ook mogelijk dat je niet weet welk vak je moet kiezen, of te lui bent om een vak te leren, en dan je heil zoekt bij de krant.

Dit laatste is bij mij het geval geweest en zonder enige schroom stelde ik de ander hiervan op de hoogte. Ik voegde eraan toe dat er maar enkele momenten in mijn loopbaan waren geweest, waarop ik een gewijzigde versie van het lied: O was ik maar bij moeder thuisgebleven..., had aangeheven: O had ik maar een vak geleerd!

Vind je de journalistiek dan geen vak?, vroeg de sociale geograaf verbaasd.

Nee!, sprak ik, en als jij nu zo vriendelijk wilt zijn, binnen een paar verse verteringen voor ons te halen, zal ik daarna mijn opvatting uitwerken.

Hij voldeed aan mijn verzoek en na een bescheiden slok besteeg ik mijn stokpaard: De journalistiek is geen vak, waarvoor je kunt leren. Het is een bézigheid, een aangename bezigheid zelfs. Een zeer aantrekkelijke vorm van onledigheid.

Dit beweer ik veelvuldig, maar voor de sociale geograaf was het nieuw en hij vroeg ademloos: Dus jij vindt een school of academie voor de journalistiek onzin?

Zeker niet, hernam ik, als je maar niet denkt dat je op zo'n inrichting journalistiek leert. 't Is een levenshouding, die je moet worden geschonken. Ze brengen je een aantal vaardigheden bij en ze dissen enige bijzonderheden op, welke je bij het uitoefenen van je beroep, bij je bezigheid, van dienst kunnen zijn.

Als voorbeeld nam ik mijzelf. Ik bezocht kort na de oorlog een door Trouw opgezette, tweejarige 'journalistenschool'. Ik heb er niet geleerd, hoe je een rechtszaak in de krant het beste kunt aanpakken; wèl is me voorgehouden dat de officier van justitie een straf eist, maar niet oplegt en vandaar dat ik nooit in een rechtbankverslag de fout maakte van te schrijven: de officier veroordeelde de verdachte tot... Ook was ik dank zij deze opleiding reeds als jeugdig verslaggever in staat de naam Heidegger goed te spellen wanneer deze in een lezing viel, maar daarmee was ik nog niet direct bij machte, het gehoorde duidelijk voor de krantelezers samen te vatten.

Zo redeneerde ik voort in het toenemende duister. Het terrasje werd steeds voller en op 't laatst moesten velen zich met een staanplaats op het trottoir vergenoegen. We besloten er nog één te nemen en ik eindigde mijn betoog met de ferme uitspraak dat een journalist niets hoeft te weten, behalve dat hij weet wàt hij niet weet!

Helaas kon ik in het donker de uitwerking van mijn woorden niet gadeslaan. Bovendien barstte opeens een enorme regenbui los die ons allen het café in dreef, waar we ons overgaven aan beschouwingen over het weer.

Zo nam een leerzame zomeravond op een terrasje een einde.

Maar ik wil geen walkman!

ECHT IETS VOOR JOU!, beweren vrienden en bekenden, jij houdt toch zoveel van muziek?

Zij dringen erop aan dat ik een walkman neem of tenminste op mijn verlanglijst zet, maar ik wil geen walkman. Ik weet niet eens hoe je 't schrijft, aan elkaar vast of als twee woorden met een streepje ertussen. Voor 't gemak maak ik er één woord van.

Nog niet zo lang geleden wist ik ook niet wat een walkman wàs. Bij een stoplicht op de Ceintuurbaan stond ik naast een jeugdige fietser te wachten op groen. Hij droeg wat ik voor mezelf omschreef als: kleine oorwarmertjes. Deze waren met elkaar verbonden door een smalle metalen band, die zich kromde om de schedel van de knaap. Uit die oordingen liepen dunne snoertjes, welke hun weg vonden naar de borstzak van 's jongemans regenjek. En die borstzak vertoonde de omtrekken van een doosachtig voorwerp van bescheiden omvang.

Ik hield het ervoor dat de jongen leed aan een ernstige ooraandoening en nu, dank zij de vorderingen der medische techniek, weer in staat was verkeersgeluiden op te vangen. Ik keek nog eens opzij. De gehoorgestoorde zag er vrolijk uit, hij floot een deuntje en tikte de maat met zijn handen op het stuur. Dappere vent!, dacht ik bewogen.

Toen ik kort hierna in een gezelschap gewag maakte van deze treffende ontmoeting, werd ik uitgelachen om mijn onnozelheid. Die knul had gewoon een walkman op – en ze legden me uit dat dit een soort koptelefoon is, verbonden met een bandje muziek. Net iets voor jou!

Je zult mij niet met zo'n mal apparaat op mijn kop zien rondfietsen!, verklaarde ik fier. Ik sta nog steeds vierkant achter die verklaring en kan eraan toevoegen dat ik evenmin van zins ben met een walkman op (of aan, wat moet je zeggen?) rond te lópen.

Dit laatste brengt mij op het gedrag van een verse veertiger die werkzaam is op ons redactiesecretariaat. In zijn vakantie doet hij niets liever dan langs Portugese stranden wandelen met slechts een walkman aan. (Waar hij dan dat draaiend bandje laat, snap ik niet, dat zal ik hem nog eens vragen.)

Hoofdschuddend hoorde ik hem aan, toen hij me op de hoogte stelde van deze voorkeur. Jij wilt dus niet meemaken, verweet ik hem, hoe 'd'ontroerde waat'ren hevig ruisen'.

Het citaat is uit de oude berijming van psalm 46 en daarvan het tweede vers, waarin wordt gerept van het lawaai der zee. Onze veertiger, die christelijk onderwijs heeft genoten, herkende de woorden, doch geraakte er niet van onder de indruk. Hij luisterde, liet hij weten, aan die verre kusten naar missen van Mozart en of dat soms niet mooi was. Hierop sloot ik de conversatie af met een neutraal: Hm.

Ik vind het nogal idioot om op het strand naar muziek, hoe meeslepend ook, te luisteren. Je moet je oren openzetten voor het gekrijs der meeuwen en voor het bruisen van het schuimend zeenat – om nu de eerste regel van psalm 46 vers 2 aan te halen. En zo wens ik op straat te luisteren naar gierende trams en toeterende auto's en niet naar cantates van Bach, gelijk een collega van me tegenwoordig doet als hij naar de krant fietst.

Hij heeft voor zijn verjaardag een walkman gekregen van zijn vriendin. Zij is afkomstig uit een oppassende familie in het oosten des lands en zo zien wij de walkmannen overal doordringen. Zijn mederedacteuren hebben er afgeprijsde bandjes met Bachcantates bij geleverd.

Pas bij het betreden van het redactielokaal verwijdert hij de walkman van zijn hoofd. Hij loopt op mij af, roept vol vuur: Moet je deze aria eens horen!, en voordat ik er erg in heb, heeft hij dat ding op mijn hoofd geplant.

Ik moet toestemmen dat het prachtig klinkt. Een jongenssopraan, omspeeld door een fluit en een viool...

Maar opeens doe ik de walkman af, ik wil hier niet zo mal geïsoleerd zitten, ik wil op de krant het geroezemoes van de collega's en het gerinkel van de telefoons horen. Bach is voor thuis, in mijn kamer, bij de pick-up.

Echt iets voor jou!, galmen de omzittenden.

Maar ik wil geen walkman!

Daar hing ik, onder Annelies

IN EEN WARENHUIS, waarmee het niet zo goed gaat, kocht ik een paar huishoudemmers om het bedrijf er weer bovenop te helpen.

Op weg naar de uitgang kwam ik langs een rek met kroezen van wit aardewerk. Op elke kroes stond een vóórnaam, of beter: een roepnaam, uitgevoerd in zwarte cursieve letters. De kroezen hingen met hun ene oor aan stokjes en elk stokje torste vier kroezen met dezelfde naam.

Ik kon niet nalaten te kijken, of er ook een kroes met mijn naam bij was. En ja hoor, daar hing ik, op de tweede rij, precies onder Annelies. Mij trof dat alle vier de kroezen met Annelies erop nog voorradig waren en dat er maar één Bert over was.

Bert vliegt natuurlijk de toonbank over!, mompelde ik en het stemde me nederig. Bert is zo'n algemene naam, dat er altijd wel mensen rondlopen die een Bert kennen, aan wie ze om een af andere reden een cadeautje moeten geven – en dan is een kroes met Bert erop toch aardig. Of niet soms?

Bij de aanblik van al die gedoopte kroezen vroeg ik me af, welk voordeel of welke vreugde het biedt, te drinken uit een kroes die jouw naam draagt. Is het de blijde zekerheid dat je niet het gevaar loopt, andermans kroes aan je lippen te zetten?

Maar, overwoog ik, mijn ogen nog steeds gericht op die eenzame Bert, dat gevaar leveren kopjes eerder op dan kroezen. Kroezen zijn bestemd voor huiselijk gebruik, ze behoren tot het keukengerei. Wie dorstig thuiskomt en lust heeft in karnemelk, haalt een schone kroes uit de kast of spoelt de kroes, welke hij op het aanrecht aantreft, even om. Kroezen, wou ik maar beweren, kúnnen een naam dragen, maar 't hóeft niet.

Met kopjes is het anders gesteld. Je zit op een ouderwetse, degelijke verjaarsvisite. De gastvrouw vraagt of je nòg een kopje koffie wilt en je antwoordt: Graag!

Zij pakt een der gebruikte kopjes van de volle salontafel op, zegt: Dit was immers jouw kopje?, en giet er, zonder bescheid af te wachten, de koffie in. Huiverend neem je het kopje ter hand. Is het wel hetzelfde als waaruit je zonet hebt gedronken...?

Als ik de baas van dit concern was, dacht ik, zou ik overgaan tot de fabricage en de verkoop van koppen-en-schotels met namen erop en dan behoefden er geen gedwongen ontslagen te vallen! Uit deze zakelijke bespiegeling werd ik gewekt door de norse stem van een man die me toevoegde, dat ik behoorlijk in de weg stond met mijn emmers. Ik vatte dit op als een aansporing, het warenhuis te verlaten.

Buiten lieten de kroezen me nog niet los. Terwijl ik mijn fiets ontketende... de emmers bungelden zolang aan het stuur... viel me in dat ik tientallen jaren geleden een kroes met Bert erop heel goed had kunnen gebruiken op de krant. Ik haalde me de gezegende tijd voor de geest, dat er nog geen kantines en koffie-automaten bestonden en wij voor een goede uitoefening van ons beroep op een nabijgelegen café waren aangewezen. Wel verscheen tweemaal 's daags ter redactie een man van gevorderde leeftijd, die op zijn revers een speldje van de christelijke vakbeweging, en in zijn hand een grote emaille ketel droeg.

Deze ketel behelsde des morgens een grijsgetint vocht dat werd aangeduid als 'koffie' en waarmee wij onze meegebrachte boterhammen wegspoelden. Soms was mijn koffie bij aankomst koud, dan was de koffieschenker onderweg blijven steken bij de redactie buitenland om op te scheppen over zijn zoon-met-een-eigen-zwembad in Zuid-Afrika – en ze hadden ginds het beste voor met de zwartjes, wist hij. In het middaguur kwam lauwe thee uit de ketel.

Ieder van ons had in zijn la een eigen kopje, meestal een afdankertje van thuis, dat we zelden reinigden. Af en toe echter gooiden we de boel bij elkaar voor een wasbeurt. Na afloop daarvan viel het moeilijk de schone kopjes naar de rechtmatige la terug te voeren, want er waren altijd wel collega's die, volkomen argeloos natuurlijk, het minst gehavende kopje voor het hunne hielden. Had ik toen maar een kroes Bert gehad! Hoewel... er waren (en zijn) meer Berten op de redactie.

Ik aarzelde. Zou ik die ene Bert kopen, zo maar voor de aardigheid...?

Nee!, besloot ik en ik fietste alleen met de emmers naar huis.

De tandarts en de hondepoep

Heb jij een goeie tandarts?, vroeg mij een nichtje, dat onlangs in de stad is komen wonen.

Nou en of!, verzekerde ik en vol vuur voer ik voort: hij verwijdert even vaardig tandsteen van mijn tanden als hondepoep van mijn schoenzool – en dan heb ik het niet over een gladde schoenzool, want daar weet iedereen wel weg mee, maar over een zool met ingewikkelde ribbels!

Zo sprak ik, warm aanbevelend. Ik weet niet of mijn tandarts zit uit te kijken naar nieuwe patiënten, maar ik had het voldoening gevend gevoel dat ik iets terugdeed voor de reiniging van mijn besmeurde schoen.

Levendig staat mij het voorval op die ochtend voor de geest; het ligt trouwens nog niet zo lang achter me. Ik moest me onderwerpen aan een tandheelkundig onderzoek. Tevoren had ik een briefje ontvangen van de tandarts, waarin hij me onder ogen bracht dat er een half jaar was verstreken sinds mijn vorig bezoek – en of ik een nieuwe afspraak wilde maken.

Nu regel ik het altijd zo dat ik als eerste aan de beurt ben op het morgenspreekuur. Dit betekent soms weken uitstel, omdat dat vroege uur al bezet is, maar dat laat me onverschillig, als ik maar bovenaan het lijstje sta.

Hierop ben ik zo gebrand omdat ik me dan niet of slechts voor zeer korte tijd in de wachtkamer behoef op te houden. Zodra ik daar langer dan vijf minuten verblijf, bespringen me de vreselijkste vermoedens. Ik kon wel eens een gevaarlijk wortelabces hebben, want toen ik laatst een beker koude melk dronk, deed die ene kies een beetje pijn. Of...

Komt u maar, meneer Klei!

En dan is er niets, het blijft bij het weghalen van enig tandsteen. Wel moet om de zoveel jaar een semi-permanente kroon door een verse worden vervangen, maar tegen deze inmiddels vertrouwde behandeling zie ik niet meer op.

Toch blijft het zo met mij gesteld dat, wanneer ik me op weg begeef naar de tandarts, de zenuwen me door de keel gieren. Ook die morgen was dat het geval. Uiterlijk kalm ketende ik mijn fiets aan een boom tegenover het huis van de tandarts en precies op tijd drukte ik als eersteling de bel 'practijk' in.

De tandarts bewoont een even sierlijk als waardig pand dat omstreeks de eeuwwisseling is gebouwd. De wacht- en spreekkamer zijn boven en met kloppend hart beklom ik de met een fraaie loper belegde trap. En ja hoor, nauwelijks had ik mijn jek uitgetrokken of de tandarts kwam me al halen. Ditmaal zei hij echter niet: Komt u maar! Hij zei nu: U hebt vuil aan uw schoen!

Tussen haken: let er eens op dat mijn tandarts niet gewaagde van 'hondepoep', maar de van grote innerlijke beschaving getuigende aanduiding 'vuil' bezigde. Zelf had ik in dit stukje ook liever het keurige woord 'vuil' gebruikt, maar het was nu eenmaal hondepoep die zich buiten mijn medeweten aan mijn rechter schoenzool had gehecht en waarmee ik zonder het te merken de traploper en de vloerbedekking van de overloop ernstig had bezoedeld.

Beschaamd en verschrikt keek ik naar hetgeen ik had aangericht. En toen gebeurde er iets bijzonders. De jongensachtige gestalte van mijn tandarts kreeg iets vaderlijks en zijn stem ook. Met een geruststellend gebaar moedigde hij me aan, mijn vieze schoen uit te trekken, dan zou hij hem wel even schoonmaken.

Geen verwijt kwam over zijn lippen, alleen dat aangrijpende: ik maak hem wel even schoon.

En zo is het geschied dat de tandarts, alvorens zich op mijn tandsteen te werpen, mijn schoen ontdeed van de in de geribbelde zool genestelde uitwerpselen.

Dit tafereel leverde er een treffende illustratie van, dat mijn tandarts achter het gebit de mèns ziet. De totale mens, van zijn kruin tot aan zijn al dan niet smerige schoenzool.

Jeroen wil begraven worden

DEZE ZONDAGOCHTEND dwaal ik wat door de straten, die het begin van het Vondelpark omzomen. Ze liggen er sinds de eeuwwisseling en ik houd van hun verlepte voornaamheid.

De hoge herenhuizen herbergen niet meer gezeten burgers met hun gezinnen, ze zijn verbouwd tot kantoren of verdeeld in appartementen; maar als je op zo'n stille morgen je ogen een beetje toeknijpt waardoor je blik de zakelijke naamborden en de reeksen deurbellen niet opvangt, komt de sfeer van vroeger terug.

'De gouden rand van het Vondelpark' noemden ze deze straten – en mij valt in van wie ik jaren geleden die uitdrukking vernam: van professor Waterink, die zelf behoorde tot degenen die deze 'gouden rand' bevolkten, want hij zetelde in een riant benedenhuis aan de Vossiusstraat.

In het gedeelte van de Vondelstraat waar ik loop, trekken aan één kant de huizen zich terug achter een voortuin, die in veel gevallen is gedegradeerd tot parkeerplaats of fietsenstalling. Ik ga in de richting van de Tesselschadestraat en blijf op de hoek staan om te kijken naar het fraaie pand van uitbundige afmetingen, dat de architect Jos Th. J. Cuypers hier neerzette.

Jos Cuypers was de zoon van de vermaarde P.J.H. Cuypers, de ontwerper van, onder véél meer, het Rijksmuseum en het Centraal Station. Als ik het goed heb, maar dat moet ik straks thuis even nakijken, is dit bouwwerk op de hoek van de Tesselschadestraat en de Vondelstraat de eersteling van zoon Jos en zou het dienen als woonhuis voor zijn kennelijk op veel ruimte gestelde vader. Het meest bekend van Jos Cuypers is de Haarlemse Sint Bavo, die je weelderig ziet oprijzen aan de Leidsevaart, wanneer je met de trein van of naar Heemstede reist.

Nu sla ik de Tesselschadestraat in, waar zich de hoofdingang bevindt van het door mij bewonderde gebouw. Eens was hier het hoofdkwartier van de Partij van de Arbeid. Gek... opeens komt de herinnering boven aan een debatavond met dominee Buskes, waar ik voor de krant heen moest. Het ging, meen ik, over de politiële acties en de houding van Drees. Op een gegeven moment riep Buskes uit: '... en dan breng ik mijn lidmaatschapskaart terug naar de Tesselschadestraat!'

Ik stap op de deur af om na te gaan wie of wat tegenwoordig in het pand is gevestigd, maar mijn aandacht wordt afgeleid door een tegen de muur geplakt vel papier waarop staat:

Jeroen, wat wil je later worden?
Papa, ik wil later begraven worden.

Omdat ik geen balpen en papier bij me heb, prent ik deze regels in mijn hoofd. Blijkens de ondertekening vormen zij een voorbeeld van een op een Amsterdams adres (dat ik kwijt ben) aan te treffen 'poëzie van de straat'.

De poëtische conversatie tussen Jeroen en zijn vader biedt me op de verdere wandeling rijke stof tot overdenking. Bij Jeroen is sprake van een duidelijke voorkeur en hiermee wijkt hij af van Garmt Stuiveling, die in zijn gedicht 'Codicil' kenbaar maakte:

Begraaf mij, of verbrand mij, 't is me om 't even,
of gooi me in zee...

Dat Stuiveling een zeemansgraf niet afwees, verbaast me, omdat de door hem zo bewonderde Multatuli verzuchtte: 'Als ik sterf op zee, zullen er haaien komen.' Dit citaat schiet me halverwege de Roemer Visscherstraat te binnen en ik ken het via Jo Spier, die het bóven een tekening van een door lijkbezorgers gedragen kist zette, en ónder die tekening rijmde: 'Als ik sterf aan land, zullen er kraaien komen.'

Hoe het met Garmt Stuiveling is afgelopen? Hij is gecremeerd, hetgeen echter niet het ontstaan heeft kunnen verhinderen van het grafschrift:

Het leven is blijvend verarmd,
want hier ligt Stuiveling, Garmt.

Mooi!, mompel ik op de Vondelbrug, maar dat kan ook slaan op het hier en daar al ontluikend groen.

Roomsen met mesje verwijderd

Het calvinistisch goud is in mijn dorp van vroeger nog niet verduisterd!

Dit stel ik met innige voldoening vast na lezing van een kranteknipsel dat me werd toegestuurd uit het Gelderse Scherpenzeel. Uit welk blad het knipsel komt, weet ik niet, maar de vraag naar de bron verliest haar belang tegen het gewicht van het bericht dat het knipsel behelst.

Toen ik in Scherpenzeel woonde... dat was van halverwege de jaren dertig tot halverwege de jaren veertig... vielen er tot in verre omtrek geen roomsen te bekennen. Er werd gefluisterd dat aan de uiterste grens van Veenendaal een rooms gezin was komen wonen. Ik ben er met een vriend eens heengefietst om te kijken, maar we konden niets bijzonders waarnemen. Gerustgesteld keerden we terug. De afwezigheid van roomsen verhinderde ons niet, telken jare op 31 oktober de kerkhervorming vol gloed te herdenken. We lieten een gerenommeerd prediker komen, die ons vanaf de kansel in schrille tinten het roomse gevaar schetste en uit volle borst zongen we het Lutherlied. Als prille organist trok ik alle registers open wanneer wij waren aangeland bij de regels:

De vijand rukt vast aan
met opgestoken vaan.
Hij draagt zijn rusting nog,
vol gruwel en bedrog,
maar zal als kaf verdwijnen!

Die vijand was, zo hadden we wel begrepen, de kerk van Rome!

Deze fiere houding heeft niet kunnen beletten, dat er later toch roomsen zijn neergestreken in Scherpenzeel. De gereformeerden, de 'lichte' hervormden en de vrije evangelischen zijn voor deze dwalende dorpsgenoten door de knieën gegaan, zo maak ik uit het knipsel op, maar de 'zware' hervormden, de officiële hervormde gemeente die van gereformeerde bondskleur is, houdt het calvinistisch vuur in mijn oude dorp warm – en ik zal vertellen hoe.

Vlak voor het kerstfeest verspreidden de evangelisatiecommissies van de plaatselijke kerken het blad De Elisabethbode. Daarin was een inlegvel gestopt met een lijst van de komende kerstdiensten. Welnu, de gereformeerde bonders hebben met een mesje de roomsen van het inlegvel verwijderd.

'Zeer discriminerend voor de katholieke mede-christenen' heeft blijkens het knipsel een inwoonster verklaard, voor 't gemak de brandstapels vergetend. Zulke taal vernam je eertijds niet in Scherpenzeel!

Volgens J. van Zetten van de evangelisatiecommissie der bondsgemeente (ik citeer nu het knipsel) is op kerkeraadsniveau besloten, de roomse kerkdiensten niet mee te nemen op het inlegvel. 'Wij kunnen onmogelijk samenwerken met Rome', zo legt Van Zetten uit. 'Wij kunnen de mensen niet adviseren om naar een roomse kerk te gaan.'

'Wij hebben', zo gaat de heer van Zetten in het knipsel verder, 'de andere evangelisatiecommissies in een brief verzocht, de roomse diensten niet te vermelden. Toen ik de Elisabethbode binnen kreeg, stonden die kerkdiensten er toch in. Zo kun je toch niet samenwerken. Ik heb de diensten er met een mesje allemaal afgesneden. Dit omdat de kerkeraad tegen de vermelding van de diensten in de roomse kerk is. Ik heb dus de volledige steun van de kerkeraad.'

De heer van Zetten gaat verder: 'De andere kerken gaan steeds meer naar Rome toe. Ze hebben zelfs een commissie in het leven geroepen die samen op weg wil met Rome. Dat gaat te ver.'

Kijk, zover is het al gekomen in mijn goede Scherpenzeel. Weerloos geven de gereformeerden, de 'lichte' hervormden en de vrije evangelischen zich over aan de zuigkracht van Rome. De klank van het Lutherlied is verstomd.

Toch niet bij de gereformeerde bonders, zal iemand tegenwerpen. Nee, maar 't vervelende is dat uitgerekend die gereformeerde bonders het Lutherlied niet mogen aanheffen, omdat zij behalve tegen Rome ook tegen gezangen zijn.

Vandaar dat zij niet met een lied maar met een mesje de calvinistische vaan hoog houden.

Wachten aan een tafeltje

In café Welling zit ik te wachten op een dolende domineesdochter met wie ik een vaderlijke vriendschap onderhoud. Zij heeft me laten weten dat ze iets later komt: ze is haar fietssleuteltje kwijt en ze moet nog een brief posten.

Waarover zou ze me willen spreken?, vraag ik me af. Ze heeft me hier besteld omdat ze behoefte heeft aan een pastoraal onderhoud. Een p.o., zoals ze pleegt te zeggen. En als zoiets van mij wordt verlangd, ben ik natuurlijk terstond beschikbaar.

Het is halverwege de avond en het lokaal is nog schaars bezet. Dat zal straks, als het Concertgebouw uit gaat, wel anders worden. Ik besef opeens dat ik aan het tafeltje ben gaan zitten, waar ik zat toen ik voor de eerste maal deze schenkgelegenheid betrad.

Dat zal, reken ik uit, een jaar of twaalf geleden zijn. Ik had in de krant een beschouwinkje geschreven over een demonstratieve optocht van homo's. Heel liefdevol, vond ik zelf maar een paar jongens van het COC hadden ernstige bezwaren tegen mijn geschrijf en wilden mij die onder ogen brengen.

Goed, zei ik, en vertel maar waar.

Bij Welling, antwoordden ze.

Welling....?, aarzelde ik. O ja, dat was dat grappige café achter het Concertgebouw, waar mijn vrouw en ik wel eens langs kwamen op onze avondwandeling. Het inwendige zag er uit als een verlepte huiskamer, heel apart.

Toch had ik het tot dusver nooit bezocht. Ik ben veel te verlegen om zomaar een mij onbekende kroeg binnen te stappen en ik hield het bij cafés, waar ik zeker wist, collega's van de krant te zullen aantreffen. In de jaren dat we nog in de binnenstad troonden was dat Hoppe aan het Spui en sedert onze verhuizing naar de Wibautstraat, Hesp aan de Weesperzij.

Ik schrik op. De dolende domineesdochter tikt tegen het venster. Ze houdt een brief omhoog en beduidt me dat ze die eerst nog even gaat posten. Ik knik dat ik het heb begrepen.

Dan neem ik de draad van mijn herinneringen weer op. De tweede keer dat ik aanlegde bij Welling ging ik vergezeld van Paul Custers, die zijn laatste dagen sleet als voorlichter van het humanistisch verbond en met mij hier een afscheidsborrel wou drinken. Het maakte diepe indruk op mij dat Paul, die in Utrecht woonde en dus van buiten kwam, de man achter de tap met 'Ernst' aansprak. Bij ons vertrek probeerde ik het ook en bedeesd lispelde ik: Dag Ernst.

Dat ik tot die gemeenzaamheid overging, was omdat Welling me wel geschikt voorkwam als nieuw consumptief onderdak voor mij. Ik hoefde wegens mijn geklommen jaren niet meer des avonds naar de krant en om nu alleen voor een glas helemaal de tocht naar de overzijde van de Amstel, de Weesperzij, te ondernemen – néé. Ik zocht een lokaal in de buurt, waar ik beroeps- en gezelligheidshalve iemand zou kunnen ontmoeten.

Het was de dolende domineesdochter die mijn pad naar Welling heeft geëffend. Zij is er kind aan huis en zij leerde mij er enkele vaste bezoekers van onbesproken gedrag kennen.

Voorts bracht zij mij op de hoogte van de namen der schenksters en schenkers en bij een volgend bezoek overhoorde ze mij dan. Om mij volledig op mijn gemak te stellen, nam ze soms een godgeleerde mee, onder anderen een gerenommeerd nieuw-testamenticus, wiens naam ik kies verzwijg.

Daar arriveert de dolende domineesdochter, nu zonder brief. Ze schuift aan en vertelt hoeveel leed een zoekgeraakte fietssleutel kan berokkenen.

Wou je me daarover spreken?, informeer ik.

Nee, over heel iets anders, verklaart ze en dan krijg ik een verhaal dat meer geschikt is voor Radio Romantica dan voor de krant.

Heimwee op de Albert Cuyp

WANNEER MIJN VROUW van de vloer is, gooi ik alle remmen los en ga ik patat eten aan het eind van de Albert Cuypmarkt. Ik neem er dan een kroket bij.

Niet dat ik geen eenvoudige, doch smakelijke burgermanspot kan koken, maar er schuilt iets zeer aantrekkelijks in, door de stad te dwalen zonder te worden gehinderd door de gedachte, dat je nog een maaltijd moet bereiden.

Ik kom graag op de Albert Cuyp. Zo ergens, dan wordt hier openbaar, hoe veelkleurig onze samenleving is. Je treft er net zulk een bont gezelschap aan als de apostel Petrus op het eerste pinksterfeest onder zijn gehoor had: Parthers en Meders en Elamieten...

Het verblijf op de Albert Cuyp levert mij altijd een krachtig gevoel van heimwee-naar-vroeger op. Het is deze keer bijzonder sterk, nu ik zie hoe een jonge vader, die een wandelwagentje met zijn zoontje erin voortduwt, moeite heeft met het oversteken tussen de vele marktgangers door. Hij wil natuurlijk met zijn een kind naar de zandbak in het Sarphatipark en als een soort verkeersagent probeer ik een pad voor hem te banen. Het lukt zowaar en ik krijg een dankbaar knikje.

En dan...Ja, hoe gaat dat? Je loopt verder langs de kramen, maar je droomt weg naar de verre jaren dat jijzelf op de Albert Cuyp een van een kind voorzien wandelwagentje meevoerde.

We woonden aan het begin van ons trouwen aan de Ceintuurbaan en we kwamen dagelijks op de Albert Cuyp, voor de bakker, de slager en de groenteboer. De laatste beschouwden wij als een bezienswaardigheid en we sleepten soms gasten mee naar hem. De man was een wonder in rap rekenen. Terwijl hij onze boodschappen nog optelde, keek hij vragend naar de volgende klant, en vlijtig voortcijferend hielp hij de ander al. En hij vergiste zich nooit.

Voor ons kind... we hadden destijds nog alleen onze oudste... zochten ook wij vermaak in de zandbak van het Sarphatipark. Ik heb, gezeten aan de rand daarvan en lettend op de spelende vrucht van mijn lendenen, menig Zwart Beertje doorgewerkt. En precies zoals ik die jonge vader het oversteken mogelijk maakte, ben ik eens geholpen door een struise vrouw, die luidkeels riep: Kennen jullie die knul met dat schaap niet effe doorlaten...?

Heerlijk heimwee overmant me en ik taal niet naar patat.

Rechts van mij doemt de voormalige Buiten-Amstelkerk op; de Bak zogezegd. Daar zijn mijn beide zonen gedoopt door bekwame theologen en als mijn vrouw er zondagsmorgens kerkte, toefde ik met kind, wandelwagentje en Zwart Beertje bij de zandbak. Later gingen wij haar ophalen en bij 't uitgaan van de kerk maakte ik een praatje met juffrouw Grosheide, die bij ons het VU-busje kwam legen – een inmiddels teloor gegane vorm van gereformeerd liefdewerk.

De gang, waardoor je de kerk binnenging, herbergt nu een handel in van die kleine moderne grammofoonplaatjes en een proeve van het geluid dat zij voortbrengen vult de bescheiden hal. In de kerkruimte van voorheen zijn lappen stof en schemerlampen te koop. Ik kijk er vluchtig rond en mij valt in, hoe ik hier eens de studentendominee

Popma hoorde uitleggen, dat de opwekking van de reeds genoemde Petrus om 'nuchteren' te zijn, betekende dat we maar gewoon moesten doen, dan deden we al mal genoeg.

De drukte op de markt neemt toe en noopt mij tot enige waakzaamheid. De aanblik van een kraam met een enorme stapel brokken chocola-met-hele-hazelnoten maakt mij mijn consumptief voornemen indachtig en ik versnel mijn pas.

Eerst kom ik nog langs de koopman die 'Joop' tegen me zegt omdat hij bij mij enige gelijkenis met Den Uyl waarneemt. Ik kocht bij hem eens een paar sweaters en sinsdien groet hij me vrolijk wanneer ik passeer. Ditmaal blijft hij nors voor zich uitkijken als ik mijn hand opsteek. Voordat ik kan vragen wat eraan schort, heeft hij zich omgedraaid. Misschien heeft hij me niet gezien, of vindt hij het ongepast, me na Den Uyls overlijden nog 'Joop' te noemen.

Daar is de patatkraam van mijn voorkeur, helemaal achteraan. Ik sluit me aan bij het rijtje wachtenden. Dan ben ik aan de beurt: Eén zonder! En een kroket.

Mijn heimwee is weg.

Oh, zit dat zó...

Is DEZE STOEL VRIJ?, vroeg ik in de pauze aan een paar koffiedrinkende dames.

Gaat uw gang!, zeiden ze gul en ik schoof met een braaf flesje prikwater aan hun tafeltje aan. Loom lurkte ik aan mijn glas, dromerig dwaalden mijn ogen over de voorbijtrekkende concertgangers – en juist toen ik wilde opstaan om de benen even te strekken, sprak een van de dames me aan.

Neem me niet kwalijk, begon ze, maar ik zag u zonet praten met een van die journalisten en nu wou ik u eens vragen waarom die lui altijd van die slechte recensies schrijven.

Nou... altijd?, dong ik af.

Meneer, hernam zij, als 't in de ene krant niet is dan wel in de andere. Je hebt genoten van een fijn concert en dan komen de dag daarop deze heren... want ik meen dat er geen dames bij zijn... jou vertellen dat er weinig van deugde. Daar heb ik, met permissie, de pest over in!

De andere dame knikte instemmend en nu vroegen ze in koor: Waarom doen die kerels zo vervelend?

Dit moet ik pastoraal aanpakken, dacht ik en daarom liet ik het eerst bij een ontwijkend 'tja'... De dames keken me vol verwachting aan en na kort doch hevig nadenken stak ik van wal door op mijn beurt een vraag te stellen: Roddelt u wel eens?

Maar meneer!, riepen de dames verwijtend.

Snel hield ik ze voor dat, wanneer je nooit roddelt, je

geen belangstelling hebt voor de medemens en daarop gaven beiden bedremmeld toe dat ze wel eens een heel enkel keertje met iemand over iemand praatten.

Juist, hernam ik, en dan zult u weten dat je, als je iets slechts van iemand kunt vertellen, een veel mooier verhaal hebt dan wanneer er geen vuiltje aan de lucht is.

Waar wil die vent heen?, zag je de dames denken en ik voer voort: Ditzelfde geldt ook voor journalisten. Die zijn op hun best bij leed en ellende. Zij spoeden zich naar de plaats des onheils en schrijven artikelen, die heel wat aangrijpender zijn dan wanneer ze moeten berichten over... zeg maar... de gunstige bedrijfsresultaten van een warenhuisconcern. Is dit duidelijk?

Ja, knikten de dames en ik preekte verder: Kranten zijn er om nieuws te brengen – en wat is nieuws? Nieuws is dat wat afwijkt van het gewone. Er staat dus in de maandagkrant nooit hoeveel miljoen Nederlanders tijdens het achterliggende weekeinde geen schrammetje hebben opgelopen, maar wèl hoeveel dodelijke verkeersongelukken er waren.

Ik zweeg. De dames knikten opnieuw en hierdoor aangemoedigd, boog ik me naar ze toe, dempte mijn toon en betoogde: Ook muziekrecensenten moeten het hebben van het afwijkende, het slechte, zeg maar. Ze kunnen toch niet in de krant schrijven: 't Is mooi geweest – en daarmee uit? Ze zouden zich belachelijk maken. En terwijl u lekker zit te luisteren, zitten zij zenuwachtig en gespannen te wachten totdat er iets mis gaat. Doodongelukkig zijn ze als niemand een noot laat vallen. Muzikaal genot is voor deze beklagenswaardige schepselen niet weggelegd...

Er stond nog een restje prikwater in mijn glas. Ik sloeg het naar binnen en vervolgde: En als deze stumpers dan eindelijk een nauwelijks waarneembaar foutje bij een inzet opmerken, zijn ze er nòg niet. Dan gaan ze koortsachtig de vlijmscherpe zinnetjes bedenken, die hun reputatie als gevreesd criticus moeten bevestigen. Ze hebben aan 't eind geen tijd om te klappen of voor een borrel, ze jakkeren naar huis om jachtig op te tekenen wat ze zo aan onaardigs hebben bedacht – de ongelukkigen.

De ogen der dames vulden zich met tranen en ze zuchtten: Oh, zit dat zó...

Zò zit dat!, sprak ik ernstig – en daarmee was de pauze om.

Na de pauze

De pauze was afgelopen. We zaten allemaal weer netjes op onze plaats. De zaalwacht had discreet de deuren gesloten en op het podium poetste een cellist nog even zijn brilleglazen schoon.

Waar wachten we eigenlijk op?, hoorde ik een man achter me vragen. Zijn stem had een enigszins kribbige ondertoon.

Hoe bedoel je?, vroeg zijn vrouw behoedzaam. (Ik ging ervan uit dat het zijn vrouw was, tot wie hij het woord richtte.)

Nou, net wat ik zeg!, hernam de man, waar blijft die dirigent nou...?

Hij zal direct wel komen, suste zijn vrouw, maar meneer stribbelde tegen. Ik hou niet van dat getreuzel, 't wordt er alleen maar later door! Weet je nog van de vorige keer? Toen verliep alles vlot, we hadden na afloop meteen een tram en we zaten al om kwart voor elf thuis aan de koffie...

Ik zou op dat uur een gláásje nemen, dacht ik, maar opeens gingen door de opmerking van de man over het lekkervroeg thuis zijn, mijn gedachten een heel andere, niet-consumptieve kant uit. Ik zag mezelf als knaap onze zondagse huiskamer binnenstappen. Ik had het koraalboek nog onder de arm. Het zal in het begin of halverwege de oorlog zijn geweest, in elk geval was er nog elektrische stroom voor het kerkorgel.

We waren, naar nog onaangetast gebruik, ter kerke geweest. Onze dominee had moeten onderduiken en nu verscheen er elke zondag een andere dominee in onze dorpskerk en 't was telkens weer afwachten wat het zou worden: een saaie preek, of een korte... Het grappige was dat de gastdominees op hun verzoek in natura werden uitbetaald. Voor een kilo boter waren ze bereid heel wat stichtelijkheden weg te geven en een stuk kaas kon een goeie catechismuspreek opleveren.

Omdat ook onze organist was ondergedoken, nam ik als zijn leerling zijn plaats in. Dat vond ik buitengewoon plezierig. Onbespied zat je achter het gordijntje van de orgelgalerij, maar als je er onderdoor gluurde, kon je de kerkgangers wel zien zitten – en je keek wie van je vriendjes er waren en wie niet. De preek ging langs je heen, maar wel moest je opletten of de dominee niet weer een psalm opgaf, want dan diende je de motor van het orgel aan te zetten.

Maar goed, ik kwam thuis uit de kerk, iets later dan de anderen: als organist moest je eerst de kerk 'leegspelen', zoals dat heette. Ik trof mijn vader knorrig aan. De vreemde dominee van die ochtend had te lang gepreekt. Mijn vader was een zachtmoedig en vroom man, maar aan lange preken had hij een hekel – en ook nu weer gaf hij hoog op van die keer, toen de dominee het zó kort hield, dat we al om kwart over elf thuis aan de koffie zaten (de kerk begon om tien uur). In vaders stem had dezelfde voldoening geklonken als ik nu waarnam bij de man achter me, toen deze zijn vrouw herinnerde aan de keer dat zij na afloop van 't concert al zo vroeg thuis aan de koffie zaten.

Op 't ogenblik was de man stil, al zou hij wel op hete kolen zitten, want de dirigent liet nòg op zich wachten. En ik ging verder denken aan die verre zondagochtend. Ik bracht me in herinnering wat ik tegen mijn vader had gezegd: Als jij alleen naar de kerk gaat met de bedoeling er zo gauw mogelijk weer uit te zijn, kun je beter thuisblijven en al om tien uur aan de koffie zitten!

Stil Bert!, waarschuwde mijn moeder.

Nu was er niemand om mij te waarschuwen en ik overwoog mijn achterbuurman te adviseren om, nu zijn enig begeren blijkbaar was zo vroeg mogelijk thuis aan de koffie te kunnen beginnen, voortaan het tweede gedeelte van het concert te laten voor wat het was en in de pauze weg te gaan. 't Zou natuurlijk een beetje zonde van het geld zijn, je had ook betaald voor na de pauze, maar aan de andere kant: wat hàd je aan 't concert na de pauze als je alleen maar was bezeten van de gedachte, om kwart voor elf thuis... Nou ja.

Net toen ik me wilde omdraaien om de man achter me toe te spreken, verscheen de dirigent en barstte luid applaus los. Vandaar langs deze weg mijn advies: wie onbekommerd van een concert wil genieten, doet verstandig in de pauze weg te gaan.

In een glimmend jasje

De man viel me op doordat hij zo'n ouderwets-glimmend colbertjasje aan had. Vroeger droegen deftige heren 's zomers een dergelijk jasje, de notaris bijvoorbeeld en dan met een vlotte strohoed op.

Hoe heetten zulke jasjes ook alweer? Was het niet: luster...? Ja, zoiets: een luster jasje! Ik brak mijn hoofd er verder niet over en bedacht dat ze nu wel weer modern zouden zijn. Alles komt immers terug, ook in de mode.

Deze modieuze overpeinzing hield ik in de foyer van het Concertgebouw. Ik was vroeg gegaan omdat ik vóór het concert nog op m'n gemak een kop koffie wilde drinken, want daar was thuis niets van gekomen. De man met het glanzend colbert zat een paar tafeltjes verder met zijn vrouw. Of met zijn duurzame relatie, dat kon natuurlijk ook. In elk geval zag zijn gezelschap er naar mijn bescheiden inzichten niet uit als een kortstondige relatie.

De man was een toonbeeld van gezondheid. Veerkrachtig sprong hij van zijn stoel op om nog een verversing voor zijn dame te halen en met lenige tred bewoog hij zich voort. Kortom, hij blaakte van lichamelijke welstand.

Ik lette verder niet op het paar, maar nauwelijks waren de laatste tonen van de ordentelijke ouverture, waarmee het concert was aangevangen, verklonken, of mijn aandacht werd weer bij het paar, althans bij de man in het glimmend jasje bepaald. Door het krachtige applaus heen drong een nòg krachtiger gehoest tot me door en het bleek afkomstig te zijn van de heer in 't luster (zal ik nu toch maar zeggen). Hij was, zag ik toen, een paar rijen vóór me neergestreken.

Zou hij zich hebben verslikt? In een pepermuntje of zo? Ik hield het hierop, totdat ik tijdens de uitvoering van het pianoconcert, dat als tweede op het programma stond, vaststelde dat de man opnieuw aan het hoesten sloeg. Onder de luidruchtige passages van de hoekdelen hoestte hij, naar me voorkwam, ongeremd, onder het langzame en niet zo luide tussendeel poogde hij zich enigszins in bedwang te houden, maar des te flinker pakte hij het aan in de korte pauze tussen het tweede en het derde deel. En gedurende het applaus hoestte hij weer in volle overgave.

Het klonk hartverscheurend en bekommerd constateerde ik: Die man heeft het stevig te pakken, hij is zo te horen geen blijverdje, misschien is dit wel de laatste keer dat hij de concertzaal betreedt... Vervuld van medelijden liep ik op enige afstand van de man in 't glimmend jasje naar de koffiekamer. Uiterlijk mankeerde hem niets, maar ik wist inmiddels beter! Zou ik een zaalwacht moeten waarschuwen? 't Was misschien beter dat de beklagenswaardige hoester met een ambulance naar zijn woning werd vervoerd om daar rustig te sterven, in plaats van hier, in de pauze van 't Concertgebouw.

Ik hield de man in het glimmend jasje zorgvuldig in het oog. Zijn vrouw... of duurzame relatie ... praatte ontspannen met een paar kennissen. Had zij dan niets in de gaten? Trouwens, het leek nu wel of de man geen enkele kwaal onder de leden had. Hij hoestte in het geheel niet, hij converseerde druk en liep snel en soepel door de menigte om een paar lege kopjes weg te zetten.

Vreemd deze plotseling ingetreden beterschap. Zou ik getuige zijn van een wonderbare genezing...?

Enigszins opgewonden ging ik weer zitten. We hadden nog een symfonie te gaan. Wat mooi dat de ex-patiënt in het glimmend jasje nu ook ongestoord zou kunnen genieten...

Dat had je gedacht! Halverwege het eerste deel begon het gekuch opnieuw en het zocht zich tijdens de laatste maten van het eerste deel met veel kabaal een uitweg. De rest was voorspelbaar: ingehouden gehoest bij zachte gedeelten, een opleving van het geblaf onder het scherzo en het slotdeel en aan het eind van de symfonie won zijn oorverdovend gehoest het van het geroffel van de pauken.

Jammer, het herstel was dus maar van korte duur geweest. Zodra de man de zaal weer binnen was, openbaarde zich zijn kwaal wederom. Maar tot mijn verbijstering trad het herstel ten tweede male in toen de man zonder hoesten zich naar de garderobe haastte. Er was niets met hem aan de hand!

Ik heb verscheidene geneesheren het door mij beschreven verschijnsel voorgelegd: uitsluitend hoesten in de concertzaal, daarbuiten niet. Het komt veel voor, mijn man in het glimmend jasje was geen uitzondering.

Maar de medische wereld staat voor een raadsel. Ik ook.

Na afloop

Kort na de oorlog ging ik als jonge vrijgezel in Amsterdam wonen. Mijn eerste hospita was een zeer gelovige en zeer slaperige vrouw. Haar adres had ik gekregen van de tante van een vriendin van me. Je kon in die tijd – net als nu trouwens – heel moeilijk aan een kamer komen – en dat ik er snel een bemachtigde, was met muzikale middelen.

Op een zonnige ochtend in de zomer van 1946 liep ik de mij opgegeven straat in Oud-West in. Het was een korte, van hoge bomen voorziene straat en weldra was ik waar ik wezen moest. Op mijn bellen werd ik opengedaan door een vrouw met grijzend haar en een weelderige gestalte. Nadat ik de naam had genoemd van de tante van mijn vriendin, verzocht ze me boven te komen.

Aangeland in haar woonkamer deelde ik haar de reden van mijn bezoek mee: of ze misschien... Ze schudde vlijtig van nee, ze had op het ogenblik werkelijk niets vrij, het speet haar... Maar ik onderbrak mijn gastvrouw door uit te roepen: Wat hebt u daar een mooi harmonium!

't Was waar. Tegen een zijwand van het vertrek geschoven stond een fraai ouderwets harmonium met verrukkelijk veel lofwerk.

Kunt u spelen?, vroeg ze.

Ja, knikte ik.

Ook christelijke versjes?, informeerde ze verder.

Ook christelijke versjes!, bevestigde ik, want ik had mijn sporen als jeugdige dorpskerkorganist verdiend.

Als u soms even... begon ze met een uitnodigend armgebaar en nog geen minuut later zat ik op het orgelbankje. Ik trok een flink aantal registers open en bracht in meeslepende driekwartsmaat het lied 'Scheepke onder Jezus' hoede' ten gehore. Bij de tweede regel schalde zij mee: Met de kruisvlag hoo-hoog in top...

Na mijn muzikaal optreden was de zaak vlug beklonken. Ze had op zolder nog een piepklein kamertje over, dat ze eigenlijk nooit verhuurde, maar als ik daar genoegen mee nam, kon ik dat huren totdat er een grotere kamer vrij kwam. Maarre... dan zou ze 't wel prettig vinden als ik af en toe op haar harmonium speelde.

Aan deze voorwaarde voldeed ik graag en zo gebeurde het dat ik op gezette tijden achter haar harmonium kroop. Meermalen had dit tot gevolg dat mijn hospita zich tegen het muziekmeubel en/of tegen mijn onschuldige schouder nestelde en luidkeels de door mij vertolkte stichtelijke liederen meezong. Bij gunstige weersomstandigheden schoof zij het venster omhoog opdat de heidense omgeving mee kon genieten van wervende teksten als: Kom tot uw Heiland, toef langer niet... Voorzover ik kon nagaan, leverde dit geen bekeringen, maar wel ergernis op.

Behalve zeer gelovig was mijn eerste hospita ook zeer slaperig en dit laatste kon ik vaststellen toen ik haar eens mocht vergezellen naar een concert, waarvoor haar twee vrijkaarten waren toegestopt.

Mij viel op dat zij, zodra het orkest geluid gaf, in slaap viel. Eerst meende ik dat zij in edele verrukking de ogen sloot, maar nee, ze sliep echt, knikkebollend en af en toe lucht uitblazend. Tijdens het langzame deel van een symfonie begon ze zo zwaar naar mij over te hellen, dat ik haar zacht doch dringend terugduwde. Hierdoor ontwaakte zij niet. Merkwaardigerwijs opende zij steeds terstond na voltooiing van de uitvoering van een stuk haar ogen en begon dan als een bezetene te klappen. 't Was mooi, verklaarde ze, ik ben alleen eventjes weggezakt...

Nauwelijks was het slotapplaus verklonken of ze vroeg: Waar zullen we koffie gaan drinken?

Haar vraag overrompelde me. Ik had haar uit dank voor 't genotene willen voorstellen, ergens wat te gaan drinken, maar uit haar vraagstelling begreep ik als kersverse Amsterdammer, dat het niet de vraag is òf, maar wáár je na afloop wat gaat drinken.

Mijn nu niet meer slaperige hospita ging me voor naar een gerenommeerd koffiehuis en haar gelovigheid verhinderde haar niet, ook enige glaasjes naar binnen te slaan.

Wat zij mij met haar gedrag heeft geleerd?

Dit: Dat het bezoeken van een concert heel fijn is, maar dat het nog fijner is, na afloop ergens neer te strijken.

De meeste mensen zijn aardig

De meeste mensen zijn aardig, zéker in Amsterdam.

Deze overtuiging draag ik altijd mee en vandaag draag ik haar uit.

Halverwege de ochtend verliet ik ons krantengebouw. Ik liep naar mijn fiets en stelde vast dat de voorband leeg was. Onder het mompelen van een toelaatbare verwensing ontketende ik het voertuig en nam het mee uit wandelen naar huis, waar ik hoopte een nazaat aan te treffen die bereid zou zijn de band te plakken. Het lopen verveelde me al snel, zo'n lekke fiets is ook geen gezellige prater onderweg. Ik stapte op en reed behoedzaam over geasfalteerde weggedeelten, spiedend naar een rijwielhersteller.

In de Pijp vond ik er een. De man boog zich over de getroffen band en liet me zien dat deze versleten was. En misschien de binnenband ook... Maak alles maar in orde!, sprak ik gul en hij beloofde dat ik de fiets over een paar uur kon komen ophalen.

Vóór mijn vertrek deed zich nog een kleine moeilijkheid voor en om duidelijk te maken welke, moet ik eerst iets vertellen over mijn sleutels. In mijn uiterst overzichtelijk leven kan ik toe met drie sleutels: mijn huissleutel, mijn fietssleutel en de sleutel van de ketting, waarmee ik mijn fiets vastleg. Ze zitten met z'n drieën aan één ring, zodat, wanneer ik fiets en de fietssleutel dus in het slot steekt, de beide andere erbij bungelen en van de frisse lucht genieten.

Welnu, alvorens mijn fiets in de rijwielherstelplaats achter te laten, wilde ik hem op slot doen en de sleutels meenemen, anders kon ik straks mijn huis niet in. De fietsenmaker weerhield me, het was voor hem veel te lastig werken aan een op slot staande fiets. Hij wurmde het fietssleuteltje van de ring af en ik ging op pad met de twee overige sleutels, die ik liet glijden in de broekzak waar mijn portemonnaie zat, dan hadden ze toch gezelschap.

Met het oog op mijn fietsloze toestand betrad ik een sigarenwinkel om me er te voorzien van een strippenkaart. Vervolgens schafte ik me in een nabijgelegen Hema scheermesjes aan en nu ik toch zo aan 't boodschappendoen was, liep ik de Albert Cuypmarkt op om een stuk kaas te kopen. Nadat ik dit levensmiddel had betaald, borg ik mijn portemonnaie weer op – en ik zou van deze vanzelfsprekende handeling niet reppen indien zij niet aan het licht had gebracht dat ik mijn sleutels kwijt was.

Terstond maakte ik dit verlies kenbaar aan de kaasboer en de omstanders, die hulpvaardig terug weken om mij in de gelegenheid te stellen het asfalt vóór de kraam te onderzoeken. Dit leverde niets op, net zomin als navraag bij de Hema en bij de sigarenman. Vreugdeloos sjokte ik naar huis; er was gelukkig iemand om me open te doen en nadat ik omstandig lucht had gegeven aan mijn leed, begaf ik me op de afgesproken tijd naar de rijwielhersteller.

Nòg nam mijn tegenslag geen einde, want toen ik hem zou betalen, bleek ik nog niet de helft van het verschuldigde bedrag bij me te hebben als gevolg van mijn eerder gedane inkopen. Moest ik nou wéér lopen of trammen om thuis geld op te halen...? Ik dacht diep na en dit leidde ertoe dat ik de fietsenmaker vroeg of hij het pasje, dat me toegang tot de krant verschaft, wou accepteren als onderpand, dan kon ik... Vooruit dan maar!, zei hij en ik vond hem een aardige man.

De meeste mensen zijn aardig, zéker in Amsterdam.

Ik racete heen en weer op de herstelde, doch nog niet afgerekende fiets en weldra was de zaak financieel rond. Opgelucht aanvaardde ik de terugtocht en opnieuw ging ik de Albert Cuyp op, ditmaal om bloemen te kopen voor mijn vrouw, die mijn gezeur over de verdwenen sleutels geduldig had aangehoord. Je hebt toch reservesleutels?, had ze opgemerkt. Ja, maar... had ik verder gezanikt. Maar nu zocht ik een vrolijke ruiker uit.

Opeens voelde ik een stevige hand op mijn schouder. Ik draaide me om en keek in 't gezicht van de kaasverkoper van zonet. Hij zei: Man, je sleutels zijn terecht, je was amper weg of een klant vond ze – en laat ik je nou toevallig langs zien komen! Ik ging je meteen achterna...

Wat aardig van u!, riep ik dankbaar.

De meeste mensen zijn aardig, zéker in Amsterdam.

Behaarde armen bij de halte

Welgemoed daalde ik die zondagochtend de stoep van het door mij bewoonde pand af. Aangeland op het trottoir maakte ik mijn fiets los, die was geketend aan het ijzeren hekje dat de ramen van ons onderhuis beschermt. Ik moest naar een aan de rand van de stad gelegen verpleeghuis, waar ik de gewijde zang der bewoners met mijn harmoniumspel zou voortstuwen.

Nauwelijks echter had ik het zadel beklommen of ik merkte dat de achterband leeg, dus lek was. Ik liet me, om met psalm 141 vers 3 in de oude berijming te spreken, iets onbedachtzaams ontglippen en legde mijn fiets weer aan de ketting. Er zat niets anders op dan de tram te nemen.

Toen ik de halte naderde, trof mij een tweede slag: de tram die ik nodig had, verdween juist om de hoek. Aangezien in Amsterdam de zondagsrust nog in zoverre wordt gehandhaafd dat de trams op zondagmorgen zeer spaarzaam rijden, duurde het geruime tijd eer een nieuw voertuig van het door mij gewenste lijnnummer verscheen. Dit stelde mij in staat, uitgebreid aandacht te besteden aan de forse reclameplaten die onze verse wachthokjes sieren. Het meest opvallend was de een paar maal voorkomende, meer dan levensgrote afbeelding van een blote jongeman.

Wàt...? Of-t-ie helemaal bloot op dat reclamebiljet stond? Nee hoor! Dat wil zeggen: je kon niet zien of hij alles uit had, omdat je niet alles kon zien. Je zag alleen zijn blote schouders en zijn blote armen en die twee blote armen rustten op een blote knie. Hij, ik bedoel die jongeman, kon dus best helemaal bloot zijn, maar 't hoefde niet.

Aan de linkerhand van de geheel of gedeeltelijk ontblote man prijkte een smalle trouwring. Dit fotomodel is, overwoog ik onder 't wachten op de tram, òf een verloofde protestant òf een getrouwde roomse. Want roomsen dragen de trouwring links en de verlovingsring rechts, net andersom als bij de protestanten. Omdat verlovingen uit de mode zijn, zéker in kringen waar men zich niet of nauwelijks gekleed laat fotograferen, hield ik het erop dat de jongeman op de reclameplaat gehuwd en rooms was.

Hoe zou zijn vrouw hebben gereageerd toen hij haar vertelde dat hij bloot (of bijna bloot, dat weten we dus niet zeker) op grote reclamebiljetten zou komen en in zodanige toestand overal in de stad waarneembaar zou zijn? Sprak ze onverschillig: Je doet maar wat je niet laten kunt? Of riep ze ontzet: Als je dàt doet, loop ik bij je weg? En draaide zij bij toen hij verklaarde er een flinke som gelds mee te zullen verdienen?

De tram kwam er nog niet aan en opnieuw onderwierp ik de reclamefoto aan een beschouwing.

De gehuwde roomse jongeman had sterk behaarde onderarmen en deze beheersten de ganse afbeelding. Rechts boven zijn hoofd stond in fiere letters: Je bent wat je drinkt. Rechts onderin ontwaarde ik de naam van een bronwater. Om onze advertentie-afdeling niet voor de voeten te lopen, verzwijg ik het merk, maar 't is heel bekend.

Je bent wat je drinkt. Je bent dus, als je dat ongenoemde prikwater drinkt, iemand met behaarde armen? Nu bestaan er mannen zònder haar op de armen en ik vroeg me op de tramhalte af, of die beklagenswaardige schepsels nu niet in de waan zouden worden gebracht dat zij, wanneer zij maar voldoende van dit bronwater naar binnen werken, haar op hun kale armen zullen krijgen. Ik stem toe dat de tekst van de slagzin geen aanleiding gaf tot het vormen van dit denkbeeld, maar de reclameplaat als totaal wekte de suggestie dat er rechtstreeks verband bestaat tussen het hebben van behaarde armen en het drinken van een bepaald merk bronwater. Deze gedachte dient, om teleurstelling te voorkomen, met kracht te worden onderdrukt.

Gek genoeg viel mij opeens in dat mijn grootvader, wanneer ik als knaapje net als de grote mensen een kop koffie wou hebben, placht te zeggen: Van koffie krijg je groen haar en glazen benen.

Daar had je de tram. Alvorens in te stappen, keek ik nog even naar de reclame en plotseling werd me de boodschap ervan duidelijk: als je rein bronwater drinkt, ben je zelf ook rein. En de reinen is alles rein, ook in je blootje op een reclamefoto staan.

Er stond: 'Mijn trouwe gade'

HEEL TOEVALLIG viel mijn oog op haar overlijdensadvertentie. Er stond: 'Mijn trouwe gade'. Dat had haar man natuurlijk zo opgegeven.

Ik had haar eenmaal ontmoet. Zij was de echtgenote van een predikant in een kleine provinciestad. Ik zocht hem op in verband met een door hem opgesteld kerkelijk stuk dat nogal in de belangstelling was gekomen.

De pastorie prijkte niet, zoals ik had verwacht, naast de kerk. Het was een gewoon huis in de rij. Een heel nette straat, dat wel. Ik belde aan en werd opengedaan door een somber uitziende vrouw. Ze had een donker-gebloemde jurk aan en droeg het haar in het midden gescheiden en strak naar achteren gekamd, waar het eindigde in een schriel knotje.

Is... eh? Is uw man thuis?, had ik willen vragen, maar ze zag er naar mijn oordeel niet erg domineesvrouw-achtig uit.

Daarom maakte ik ervan: Is de dominee thuis?

Ze liet me binnen en verklaarde dat zij haar man even zou roepen. Ze sloeg op een gong en weldra verscheen bovenaan de trap een gezette man, gestoken in een zwart jasje met vest en een streepjesbroek. Joviaal riep hij: Daar zullen we de heer Klei hebben! Kom boven, man! En tegen zijn vrouw zei hij op nonchalante toon: Jij brengt ons koffie?

De vrouw antwoordde niet en ik liep de trap op. De dominee, steeds luid pratend en met drukke gebaren, wees me een gemakkelijke stoel: Neem plaats, kerel! Of zit je liever aan mijn bureau voor 't geval je aantekeningen wilt maken?

Na korte tijd werd er geklopt en verscheen mevrouw in de deuropening met een blaadje, waarop twee dampende kopjes koffie stonden plus een schotel met een paar zandkoekjes. Ze maakte aanstalten om mij te bedienen, maar haar eerwaarde echtgenoot viel haastig en enigszins geïrriteerd in: We redden onszelf wel, ga nu maar!

Zwijgend verdween ze. Voordat ze de deur achter zich sloot, keek ze even om en zag ik haar ogen. Ze waren donker en er broeide iets in... Haat? Nee, dat was een te sterk woord. Wròk! Ja, dat was het. Een stille, lijdzame wrok.

Zo omschreef ik het voor mezelf toen ik in de trein terug over deze ontmoeting nadacht. Ik probeerde me zo'n huwelijksverhouding voor te stellen: hij vlot en uitbundig, een gemakkelijk en gezien spreker op vergaderingen, die in de pauze zijn collega's gezellig op de schouders slaat; zij een duistere schaduw naast hem, of nog niet eens, eerder een nadrukkelijk naar het huishouden verwezen figuur, een veredelde dienstbode, die mokkend door de pastorie sluipt.

Hoe zou het begonnen zijn? Hij leerde goed op school en zou theologie studeren. Hij 'ging' al met haar toen hij naar de academiestad verhuisde en later, halverwege zijn studie, zijn ze verloofd, want om als man alleen de pastorie in te gaan is ook niks.

Zij zagen elkaar om de veertien dagen eerst, daarna om de maand... hij had het immers zo druk met zijn studie... en ze groeiden steeds verder uit elkaar. Hij was getapt onder zijn medestudenten en wist zich in de wereld te bewegen. Zij zat thuis en borduurde slopen. Haar wereld bleef klein.

Hij ontmoette andere meisjes, hij mocht ze graag en zij vonden hem een leuke vent. Heel andere types dan... Maar nee, hij kon moeilijk zijn verloving verbreken na zoveel jaar. Wat zouden ze er wel van zeggen in het dorp! En als ze eenmaal getrouwd waren en in de pastorie zaten...

Zij besefte al gauw dat zij voor hem niet veel meer betekende dan een huishoudster. In het begin zei hij nog wel eens: Kind, wat heb je 't hier toch gezellig gemaakt! of: Zoals jij kunt koken! Maar ook dit hield op, hij was steeds vaker van huis, naar vergaderingen en conferenties en in de krant las ze verbitterd hoe mooi hij het weer gezegd had. En als hij thuis was verdween hij snel naar zijn studeerkamer.

Misschien groeit haar wrok aan tot felle haat en komt er een moment dat zij vergif doet in een nederig door haar aangereikte kop soep... fantaseerde ik in de trein.

En nu las ik dat zij het eerst van hen beiden gestorven was.

'Mijn trouwe gade'...

Korte broek? Direct ingrijpen!

GELUKKIG. Nu worden de jongens eens aangepakt!

Altijd hoor je verhalen over meisjes, die op reformatorische scholen geen lange broek mogen dragen, omdat er in de bijbel staat: 'Het kleed eens mans zal niet zijn aan een vrouw...'

De broekrok, zo begrijp ik uit het Reformatorisch Dagblad, is ook ongewenst. In die krant verklaart de heer C. Bregman, docent aan de reformatorische scholengemeenschap 'Guido de Brès' te Rotterdam: 'Hoe aardig een broekrok bijvoorbeeld ook kan zijn, het kan een naar ding worden. Ze kan in een bermuda ontaarden.'

De heer Bregman drukt zich naar mijn smaak wat slapjes uit. Liever hoor ik de kloeke taal uit hervormd Katwijk aan Zee, waar de broekrok wordt omschreven als 'het huichelkleed van onze tijd'. Of denk aan hervormd Ouddorp, waar de broekrok te boek staat als een 'overgangsmaatregel van de duivel'. Maar hoe dit zij, in elk geval verwerpt de heer Bregman tenslotte de broekrok.

Vervolgens werpt hij de blik naar de jongens: 'Het door jongens dragen van een korte broek op school wordt op een gegeven moment strandkleding.'

De zin is niet geheel correct, maar de strekking is duidelijk. Tegenwoordig zijn de korte broeken gelukkig aan de lange kant, maar hoe lang houdt zo'n modegril stand? Bovendien... en dit ziet de heer Bregman haarscherp... is het maar een kleine stap van een korte broek naar een sportbroek en voordat je 't weet, heb je een knaap in de klas met zo'n glimmend sportbroekje dat niet alleen zeer kort is, maar daarenboven aan de zijkanten een soort inham-men... zal ik maar zeggen... heeft, waardoor de kortheid van het kledingstuk nog aanzienlijk wordt versterkt.

Wat doen we hiertegen?

Direct ingrijpen!, roept ons de heer Bregman toe in de kolommen van het Reformatorisch Dagblad.

En dan staat er dit:'Schuiven doe je zo ontzettend gemakkelijk.' Wat de betekenis van deze woorden is? Na enig nadenken kwam ik op het denkbeeld dat de heer Bregman bedoelt te zeggen: Van 't een komt 't ander.

Hoewel men in reformatorische kringen bepaald niet erg gesteld is op roomsen, moge ik de heer Bregman bij zijn beschouwing van de jongensbroek dienen met een citaat uit hetgeen de jezuïet dr. Alph. van Kol na de oorlog over en voor jongens schreef. Deze geestelijke wist van aanpakken wanneer het om de korte jongensbroek ging: 'Ook een jongen behoort gesloten gekleed te zijn, eerst en vooral van onderen, doch ook het bovenlichaam. De padvinderskleding heeft de ontbloting van knieën en een groot deel van het bovenbeen algemeen gemaakt. Dat kan er *niet* mee door, als de broek te kort en te wijd is. Zo ben je gemakkelijk voor je zelf en anderen te bereiken. Begrijp je dat? Die te korte en te wijde broek is inderdaad een gevaar voor je reinheid. Als je daar nooit last van hebt gehad, kun je dat gemakkelijk krijgen.'

Bovenstaande aanhaling begint met het woordje 'ook' en dit komt doordat de eerwaarde schrijver zich eerst tot de meisjes heeft gericht. Voor het evenwicht geef ik ook daarvan iets door: 'Je kleed moet zó wezen dat iemand die zou willen inkijken, daarvoor geen kans heeft, in welke houding je je ook beweegt. Geen te wijde hals, waar je hoofd zonder sluiting door kan; geen ajour of doorschijnende stof die aan onbescheiden blikken de gelegenheid biedt je lichaam te bespieden. (...) Een meisje dat méér ontbloot dan hoofd en benedenarmen trekt de blikken niet naar het gezicht, maar naar de onbeklede lichaamsdelen. Je voelt wel dat dáár een ontzettend gevaar schuilt. Je kunt niet geloven hoeveel jongens en mannen last hebben van onvoldoende vrouwen- en meisjeskleding, vooral van het dragen van te korte rokken, in het bijzonder bij onbedekte bovenbenen.'

Misschien hebben ze bij 'Guido de Brès' hier iets aan.

De broek onder het matras

ZONDAGOCHTEND WANDELDE IK door de P.C. Hooftstraat.

Wat...? Of ik...? Wat zullen we nou hebben! Ik was natuurlijk op weg naar de kerk. De Keizersgrachtkerk.

Ik liep dus in wat Amsterdammers kortweg de P.C. noemen, de straat waar dure klerenwinkeltjes komen en gaan. Ik passeerde een pand waarin blijkens de aan een neergeslagen rolgordijn bevestigde mededeling er weer eentje zou komen. Voor mannenmode, las ik.

Mannenmode...

Ik proefde het woord op mijn lippen. Het klonk veel virieler dan: herenmode. De woorden 'vrouwen' en 'mannen' zijn trouwens, zo bedacht ik, in opmars ten koste van de nogal sekseloze aanduidingen 'dames' en 'heren'. Je merkt het aan de sportverslagen op de televisie die ik, wachtend op het weerbericht, lijdzaam onderga. Ik geloof dat ze alleen bij het tennissen dames en heren hebben overgehouden.

Maar hoe zou het eigenlijk zitten bij kappers en bij ondergoed, vroeg ik me bij het inslaan van de Hobbemastraat af. Bestaan er mannenkappers en kun je vrouwenondergoed kopen?

En wat zeggen sprekers op een vergadering? Nog steeds: Dames en heren? Of is het nu: Vrouwen en mannen? Omdat ik nooit een vergadering bezoek, weet ik het niet, maar ik acht het niet uitgesloten dat er sprekers zijn die een uitweg vinden in de aanspraak: Beste mensen.

Even dwaalden mijn gedachten af van de mode, de kapsalons en de lingeriezaken. Het gebruik van het woord 'mensen' is bevorderd door het feminisme en onlangs werd ik sterk geroerd door een brave kerel die dapper vertelde over iets waaraan 'met mens en macht' was gewerkt.

Aangeland in het Leidsebosje keerde ik terug tot de mannenmode. Er is, stelde ik voor mezelf vast, geen onderscheid meer tussen herenmode en mannenmode. Vroeger wel. Ieder die een pen in plaats van een schop hanteerde, ging naar een hérenmodemagazijn en voor de arbeiders was er het 'Werkmanspaleis' op de Nieuwendijk.

Als kennissen foto's van me zien, die enkele tientallen jaren geleden zijn genomen, roepen ze verbaasd: Wat zag jij er toen deftig uit! – en vervolgens laten ze hun blik glijden over het open hemd en de spijkerbroek die ik nu draag. Dan leg ik uit dat je destijds eigenlijk maar twee mogelijkheden had: óf je hees je als 'heer' in een compleet pak óf je stak als werkman in kiel en manchester broek.

Vooral de herenbroek, ook wel pantalon genaamd, was een bron van voortdurende zorg. Er moest een vouw in zitten. 'Pli' zei je, op z'n Frans. De broek mocht niet slobberig worden en om dit tegen te gaan, legde je vóór het slapen gaan je broek, netjes gevouwen op de pli, onder het matras om hem daar des anderen daags onder vandaan te halen. De broek was dan althans de eerste uren van de nieuwe dag in vorm.

Speciaal de knieën van de broek vereisten veel oplettendheid en om ter hoogte daarvan een scherpe pli tot stand te brengen, kon je de broek, alvorens hem onder het matras te stoppen, op kniehoogte enigszins bevochtigen. Deze handeling heb ik niet meer toegepast sinds ik eens, ijverig in de weer met een fluitketel, niet alleen de knieën van mijn broek, maar ook mijn dekens nat maakte.

Toen de kinderen klein waren en ik was geroepen met hen te stoeien, nam ik als gewoonte aan, me van tevoren te ontkleden. Anders zou de pli uit mijn broek gaan en mijn stropdas scheef gaan zitten. Lang heeft deze periode niet geduurd, want weldra diende zich de dusgenaamde vrijetijdskleding aan. Ik hulde me in ribfluweel en spijkergoed en de aandacht die ik anders aan mijn pli had moeten besteden, kon ik nu volledig aan mijn zonen schenken.

Tevreden over mezelf stapte ik even later de kerk binnen.

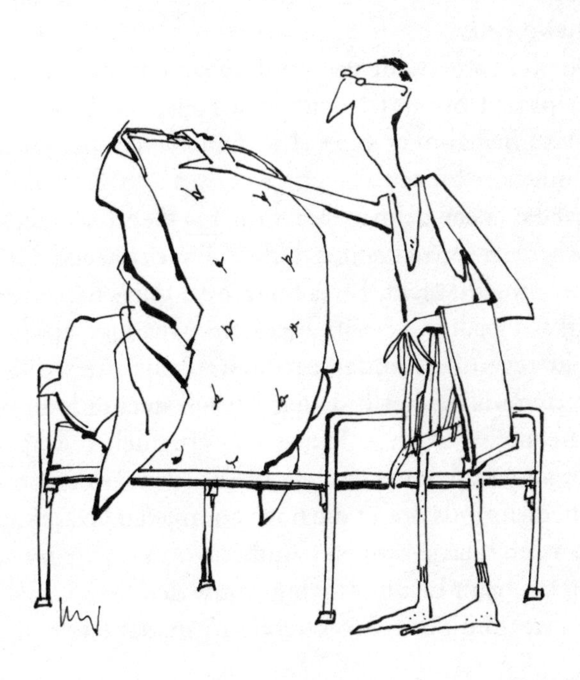

Predikant wil op huis passen

In het gereformeerde Centraal Weekblad stond deze advertentie: Predikant, die behoefte heeft aan rust, is bereid om van 10 juli tot 10 augustus op uw huis te passen. Geen vergoeding gevraagd of geboden. Liefst in Gelderland.

We vrezen voor de eerwaarde adverteerder dat niemand in Gelderland of daarbuiten op zijn aanbod zal ingaan. Want wie iemand op zijn huis wil laten passen, heeft geen behoefte aan een op rust beluste predikant, maar aan een persoon die genegen is een grote mate van werkzaamheid te ontwikkelen.

De op rust gestelde geestelijke weet dat misschien niet, maar passen op andermans huis is een bezigheid welke zeer veel inspanning vergt. Ik wil proberen, hem daarvan een indruk te bieden.

Stel dat er een gelovige lezer van het Centraal Weekblad is die het een verrukkelijk denkbeeld vindt dat een dóminee zijn woning bewaakt. En ja hoor, op 9 juli is het zover. De predikant gaat mèt zijn behoefte aan rust op reis en bereikt tegen de middag een lommerrijk dorp. Na enig zoeken vindt hij het huis dat hij een maand lang onder zijn hoede zal nemen. Het is een vriendelijk, vrijstaand pand, omgeven door een flinke tuin – en hij ziet zichzelf al zitten, daarginds onder die hoge boom, een beetje suffend en met een biertje binnen handbereik...

Hij belt aan. Een bedrijvige vrouw doet open: Ha, daar zullen we dominee Dinges hebben! Fijn dat u er bent, dan kan ik u voor ons vertrek nog een paar dingen wijzen...

Graag, mevrouw.

Kijk, hier is onze woonruimte. Wilt u niet vergeten de planten elke dag water te geven? Dat kunt u het beste doen... Wacht, dat heb ik allemaal op dit briefje gezet – ik leg het nu bovenop de televisie, ziet u wel? En als het zonnig is, moet 's morgens aan deze kant de zonwering naar beneden. Later op de dag kan die weer omhoog. De planten moeten tenslotte licht hebben. Niet te veel zon, maar wel licht. 's Middags moet dan dáár het zonnescherm uit... nee, voor die ramen hebben we geen zonwering, maar dus wel dat scherm. Voorzichtig neerlaten, hoor! En 's avonds weer ophalen, want je weet nooit of het 's nachts gaat regenen...

Ja, mevrouw.

En over regen gesproken, waar u ook aan denken moet is dat er gesproeid moet worden als het een paar dagen niet heeft geregend. Ik zal u zometeen de tuinslang wijzen. Past u ervoor op dat u niet met de harde straal op de perken komt, daar kunnen de bloemen niet tegen. Trouwens, de bloemen kunt u beter gewoon begieten. Natuurlijk niet als het regent. In dát geval moet u de stoelen van het tuinameublement voorover laten leunen op het tafelblad, snapt u? En de kussens binnenhalen. Wij halen elke avond de kussens binnen met 't oog op eventuele regen. Dus als u elke avond wilt denken aan het zonnescherm en de kussens...

Zeker, mevrouw.

Nog iets. De buurvrouw had beloofd op de poes te letten, maar nu is ze onverwacht toch met vakantie gegaan. In de keuken ligt een lijstje van wat ze... de poes bedoel ik... eet. Ze is gewend aan vers hart, dat kunt u bij de slager halen, da's niet zo gek ver hier vandaan. 'n Mooi wandelingetje elke dag.

Oh...

Wat ik nog zeggen wou, u had het over vergoeding, of liever: over geen vergoeding. Maar mijn man en ik rekenen wel gas en licht met u af, dat zult u kunnen billijken. En bij de telefoon is een teller.

Ik begrijp het.

En ach, wilt u af en toe eens stofzuigen. Dat is vooral met warm weer nodig, anders verga je van de motten voordat je er erg in hebt. En we zijn ook gewend het bad telkens na gebruik met vim te doen...

Ja, mevrouw.

Nou dominee, we gaan. Geniet u maar lekker van uw rust!

De dame van de Maja-zeep

Alvorens aan dit stukje te beginnen, ben ik in een nabijgelegen parfumerie wezen vragen, of Maja-zeep nog bestaat.

In vroeger jaren was Maja-zeep voor jongens uit de middenklasse hét (toilet)middel om een meisje mee te verblijden of, in ongunstige gevallen, te verleiden. Om geen misverstand te doen ontstaan omtrent mijn gunstig verleden, verklaar ik dat het eerste door mij gekochte stukje Maja-zeep geen amoureus doel diende, maar was bestemd voor mijn moeder, bij wie ik wat had goed te maken.

De juffrouw van de parfumerie glimlachte enigszins neerbuigend bij het vernemen van mijn vraag. Maja-zeep bestaat nog, meldde ze, maar zij had het niet in haar assortiment. Voor zoiets als Maja-zeep moest ik bij een drogist zijn of in een warenhuis.

Het leed geen twijfel dat de door mij betreden zaak veel te deftig was voor Maja-zeep. Kennelijk was deze zeep nooit hogerop gekomen. Sneu.

Nu was het niet mijn oogmerk, een stukje Maja-zeep in huis te halen. Wat ik verder wou weten was, of deze zeep nog steeds in hetzelfde papiertje wordt gewikkeld, rood met zwart en een danseres... dacht ik... erop.

Gelukkig was de juffrouw van de parfumerie nog niet zó ver boven de Maja-zeep verheven dat ze me het antwoord niet kon leveren. Ze ontdooide zelfs een beetje en zei opgewekt: Ja hoor, en er staat nog dezelfde Spaanse schone op, met die waaier!

Tevreden verliet ik de lekkere-luchtjeswinkel. En nu is het hoog tijd om te openbaren, waarom ik me opeens in Maja-zeep verdiepte.

Van de krant op weg naar huis, stak ik de Boerenwetering over ter hoogte van de brandweerkazerne.

Als ik mezelf even mag onderbreken: die brandweerkazerne is een lief, laat-negentiende-eeuws gebouw, opgetrokken uit rode baksteen in neo-renaissancestijl en bedacht door H. Leguyt, die als architect verbonden was aan Publieke Werken van Amsterdam. Voordat ik thuis ben, passeer ik altijd nòg een creatie van Leguyt: een vlak bij mijn woning gelegen schoolgebouw. Het verrees in het prille begin van deze eeuw; toen was Leguyt van zijn neostijlen af en bouwde hij in berlagiaanse trant. En nu ik toch aan het uiweiden ben: in dit gebouw is het Instituut Schreuder gevestigd, waar mijn zonen christelijk lager onderwijs hebben gevolgd. Het Instituut Schreuder is begonnen als leerinrichting voor deftige gereformeerde kindertjes, maar zakte later af tot buurtschool. Een zeer degelijke, dat wel. Vaak vertel ik van de grijze hoogleraarsdochter die me vroeg waar mijn nazaten schoolgingen. Op mijn antwoord: Bij Schreuder!, verzuchtte zij: Ach ja, daar gaan tegenwoordig ook gewone kinderen heen...

Waar was ik gebleven...? O ja, ik stak de Boerenwetering over. Toen ik daarmee klaar was, werd ik aangesproken door een toeriste, die me terstond het beeld van de dame op de wikkel van de Maja-zeep in herinnering bracht. Ze stak in een vuurrode bloes en een zwierige zwarte rok, ze was sierlijk en statig tegelijk, maar ze had geen waaier in de hand. Wel een plattegrond van Amsterdam en ze informeerde in gebroken Engels, wijzend naar de brandweerkazerne, of dit het Rijksmuseum was.

In plaats van haar ijlings van dit misverstand af te helpen, vroeg ik eerst gretig of zij soms een Spaanse was. Dat wàs ze – en het verbaasde me niet. Hierna wilde ik haar op de hoogte stellen van de bestemming van het door haar aangewezen gebouw, maar wat was 'brandweerkazerne' in het Engels? Mijn Engels ligt aan scherven en ik maakte ervan (en nu vertaal ik mijn Engels antwoord letterlijk): In dit gebouw zijn mannen, vechtend tegen het vuur!

Om nog even te kunnen genieten van het uitzicht op mijn toeristische Maja, bracht ik haar en haar zwijgzame begeleider, die er geenszins Spaans uitzag, tot aan de poort onder het Rijksmuseum.

Daarna spoedde ik me naar de parfumerie voornoemd.

Gedachten na het knuffelen

TOEN IK NA GEDANE arbeid ons krantengebouw verliet, ontmoette ik op het plein ervoor mijn collega Rita van Veen, die juist aan haar taak zou beginnen. Om mijn genegenheid voor haar tot uitdrukking te brengen, diende ik haar een decente knuffel toe.

Pas op!, riep ze.

Zij deed dit niet om aan te geven dat ze mijn aanraking als een ongewenste intimiteit beschouwde, maar om me te waarschuwen dat ik me dreigde te branden aan haar sigaret. Op weg naar huis bedacht ik, dat ik het nog altijd een beetje gek vind ... Nee, 'gek' is het goeie woord niet, ik kan beter het woord gebruiken dat me in vervlogen jaren werd bijgebracht: ik vind het nog altijd een beetje ordinair wanneer een vrouw op straat rookt.

In de rechtzinnige kringen die mijn achterland vormen, wemelde het van verboden en deze verboden kon je in twee groepen verdelen. Je had dingen die 'zondig' waren en dingen die 'ordinair' waren. Onder 'ordinair' vielen vergrijpen tegen de goede toon. Om een voorbeeld te geven: een ijsje kopen op zondag was zondig en je biscuitje in de thee dopen was ordinair, dat dééd je niet.

Er is een tijd geweest dat het roken, binnen zowel als buiten, voor vrouwen als zondig gold. Immers, zo was de redenering, door te roken gaf de vrouw te kennen dat zij gelijk wenste te zijn aan de man, hetgeen de bijbel verbood. De mannen echter hadden in dit opzicht van de bijbel niets te vrezen en dampten er lustig op los.

Na verloop van tijd, en zéker toen na de oorlog onze bevrijders met sigaretten strooiden, waren rokende vrouwen niet meer zondig, maar een beetje ordinair. En nóg later waren zij zondig noch ordinair, althans zolang zij in de huiskamer of de tearoom vertoefden. Roken in de open lucht dééd je als vrouw niet, dat was en bleef ordinair.

In dat stadium ben ik blijkbaar blijven steken, stelde ik bij het oversteken van de Amstel vast en verder fietsend dácht ik verder.

Kerkse mannen hadden, zoals ik al opmerkte, geen last. Ongemoeid rookten zij als schoorstenen. Het werd zelfs aangemoedigd: 't is geen man die niet roken kan. Tijdens kerkeraadsvergaderingen kon je de rook snijden en dit verhoogde eigenlijk alleen maar de ambtelijke gewichtigheid.

Een man die niet rookte, zou niet snel tot ouderling worden gekozen. Het was 'apart' als een man niet rookte en van 'aparterigheid' moesten ze in de kerk weinig hebben. Alle kans dat die niet-roker nog meer afwijkingen had. Misschien at hij wel geen vlees of zwom hij in z'n blootje!

In andere landen... ik weet het van Hongarije... onthielden kerkelijke ambtsdragers zich juist van roken, maar ónze mannenbroeders zochten de onthouding in het mijden van oorden des vermaaks en zondagse ijsjes. Daarbij hoefde je dan niet de sigaar, alsmede de borrel, te laten staan.

Inmiddels zijn de bordjes verhangen, overwoog ik ter hoogte van het Concertgebouw. Je kunt tegenwoordig niet meer aankomen met een christelijke roman, waarin de moeder volledig van slag raakt wanneer zij in een zak van het jasje van haar zoon, waaraan zij liefdevol een knoop zet, een bioscoopkaartje aantreft. En wie zich laaft aan een zondags ijsje wordt slechts door zeer strenge calvinisten beknord. Daarentegen zijn nu kerkelijke lokalen, waar eens de rook royaal opsteeg, voorzien van bordjes... over bordjes gesproken!... met 'Verboden te roken' erop.

Dit verbod geldt voor vrouwen én mannen. Niet omdat roken zondig of ordinair is, maar omdat het ongezond is. Een vrouw die rookt is niet meer slecht, maar doet iets wat slecht voor haar is, zowel thuis als in de open lucht.

Ik reed mijn straat in en ketende mijn fiets aan het ijzeren hekje van ons souterrain.

Aangeland in mijn werkkamer besloot ik, mijn gedachten na het knuffelen van de rokende Rita aan het papier toe te vertrouwen – en dit is hiermee gebeurd.

Koffie in de Bonneterie

Toen ik de koffiehoek van Maison de Bonneterie betrad...

Strikt genomen kan de bijzonderheid, wáár ik koffie zou gaan drinken, achterwege blijven, maar ik heb mijn reden om Maison de Bonneterie met name te noemen. Ik zal die reden nu terstond geven.

Mij verbaast... om niet te zeggen: ergert... dat de vvv toeristen wel stuurt naar de Nieuwe Kerk op de Dam om er gotische vensters te bekijken, maar niet naar Maison de Bonneterie om daar de glazen koepel te bewonderen. Ons land is bezaaid met opgelapte middeleeuwse kerken, voor spitsbogen hoef je niet speciaal in Amsterdam te zijn, maar een winkelpaleis als de Bonneterie tref je vrijwel nergens elders bij ons aan.

Ik neem bij een bezoek aan de Bonneterie niet de ingang aan het Rokin, maar die aan de Kalverstraat, zodat ik op mijn weg naar de koffiehoek door de lichthof moet, waarboven zich met weke bevalligheid die glazen koepel welft. Nooit zal ik nalaten verlekkerd naar boven te turen – en vervolgens glijden mijn ogen gretig langs de sierlijk gebogen galerijen die de lichthof omzomen en waaraan de verdiepingen liggen.

Het is allemaal niet groot of groots, maar wel van een meeslepend soort ouderwetse sjiek. Het gebouw verrees in het begin van deze eeuw onder architectuur van A. Jacot, die te boek staat als vertegenwoordiger van het precieus traditionalisme en die was gespecialiseerd in deftige winkels. Ook het gebouw van Hirsch aan het Leidseplein is van hem.

Kortom, ik zou de Bonneterie willen bevorderen tot bezienswaardigheid. Persoonlijk draag ik mijn steentje daar al toe bij door gasten niet naar de Nieuwe Kerk, maar naar Maison de Bonneterie te voeren.

Nu begin ik opnieuw aan mijn stukje: Toen ik de koffiehoek van Maison de Bonneterie betrad, werd ik aangesproken door een dame die eens bij me was geweest om te praten over haar zoon. De jongen wou de journalistiek in – en wat ik daarvan vond.

Hoe gaat het met Henk?, vroeg ik haar na onze begroeting.

Hij heeft geen baan, maar wel een vriendin, verklaarde Henks moeder vrolijk.

Een aardig meisje?, informeerde ik.

O jawel, antwoordde zij en ze voer voort: Ze is rooms; vroeger zou je dat erg hebben gevonden, maar nu ben je al blij dat zo'n kind nog wàt is.

Precies!, bevestigde ik haar oecumenische visie. We namen afscheid en onder mijn koffie ging ik naar aanleiding van Henks vriendin zitten nadenken over de verhouding Rome – Reformatie, want geen gedachtenzee gaat mij te hoog.

Mij viel in dat ik journalistiek ben grootgebracht in een periode waarin we ten opzichte van de Romana nog lang niet toe waren aan het gulle: beter wat dan niks! Als jeugdig verslaggever werd ik telken jare bij de nadering van Hervormingsdag (31 oktober) naar het zuiden des lands gestuurd om aangrijpende beschrijvingen te leveren van het moeizaam bestaan der protestantse minderheid in het gebied, waar de Reformatie er niet veel van had terechtgebracht. En zo zien we dat Trouw altijd al op de bres heeft gestaan voor minderheden.

Omdat brandstapels niet meer werden toegepast, viel het niet altijd mee het leed der protestanten in de verstrooiing boven water te halen. Toch gelukte het na enig speurwerk wel, aan te lopen tegen een bouwvallig schooltje met den bijbel of een op instorten staand kerkje, dat met veel protestants geloof overeind werd gehouden. Ik herinner me een door mij vervaardigde reportage welke was verlucht met kaartjes van Noord-Brabant en Limburg; zwarte stippen gaven de plekken aan waar de protestanten hun mannetje begonnen te staan. Maar toen verscheen bisschop Bekkers en ging de aardigheid van dit soort verhalen af.

Op dit punt aangeland, brak ik mijn gedachtengang af om mijn vrouw te verwelkomen. Ik had met haar afgesproken. Hier. In de koffiehoek van Maison de Bonneterie – maar dat zei ik al.

Ter nagedachtenis

IK HEB EEN NIEUWE FIETS. Dat wil zeggen: een nieuwe tweedehandse.

Of de vorige is gestolen?

Nee hoor, die heeft het na twaalf jaar trouwe dienst moeten opgeven. Hij begon steeds meer en steeds ernstiger gebreken te vertonen. De fietsenmaker wou hem niet meer repareren en als ik er toch op stond, zou met het herstel een bedrag zijn gemoeid, waarvoor ik net zo goed een nieuwe fiets kon kopen. Mijn beide zoons, uitnemende rijwielkenners, gaven de vakman gelijk en er zat niets anders op dan dat ik op zoek ging naar een nieuwe fiets. Dat wil zeggen: naar een nieuwe tweedehandse.

Met weemoed heb ik afscheid genomen van de afgedankte fiets. Al die jaren voerde hij me door de stad, waarheen ik maar wou. Om mijnentwil verdroeg hij koude en hitte, regen en droogte. Eenmaal is hem het voorwiel ontfutseld, maar nooit liet hij zich in z'n geheel meetroggelen door een fietsendief. Elke ochtend als ik buitenkwam, stond hij klaar tegen het ijzeren hekje van ons souterrain – en daar gingen we weer met z'n tweetjes, mijn fiets en ik, dag in, dag uit, jaar in, jaar uit.

Toen ik hem kocht, was hij al een beetje verweerd. Hij was enkele seizoenen verhuurd aan gasten van het Parkhotel en de baas van de stalling, waar de fiets de nacht doorbracht, verkocht hem mij voor een schappelijke prijs. Ik wenste vooral geen fonkelnieuwe fiets, die zou me toch binnen de kortste keren worden ontstolen, maar deze door toeristen bereden fiets had, meende ik, weinig aantrekkelijks voor het diefachtig volkje. Hoezeer ik hierin gelijk had, bleek zeven jaar geleden zonneklaar.

We hadden in die dagen een jeugdige neef in huis; hij logeerde bij ons totdat het woninkje in de binnenstad, waar hij zich ging nestelen, in orde zou zijn. Hij bezat een fraai ouderwets herenrijwiel met een voornaam hoog stuur en hij bevestigde dit voertuig elke avond met zware ketenen aan het hekje van ons onderhuis. Ik maakte mijn fiets dan weer aan de zijne vast, waardoor een extra beschutting ontstond. Op een vroege en zonnige zaterdagmorgen verliet ik niets vermoedend het pand. Argeloos daalde ik de stoep af, de fietssleutel al in de hand, maar nauwelijks had ik het trottoir bereikt of ik zag dat ze allebei verdwenen waren: mijn fiets en die van mijn neef. Hulpeloos keek ik om me heen en ik mompelde een verwensing, die uitdrukking moest geven aan mijn leed... Maar opeens veranderden, om met psalm 30 vers 8 in de oude berijming te spreken, mijn weeklacht en geschrei in een blijde rei, want ik ontwaarde mijn fiets: rustig en ontspannen leunde hij tegen een naburige pui met het doorgeknipte kettingslot naast zich op de grond.

Na kort gepeins begreep ik de toedracht. Nachtelijke booswichten hadden mijn fiets als onwaardig opzij gezet en zich vervolgens met hun ijzerscharen op het begerenswaardige rijwiel van mijn neef gestort. Later op de dag heb ik mijn familielid getroost door hem voor te houden dat er toch hógere waarden in het leven zijn dan een fiets – zeg nou zelf.

Ik spoedde me naar mijn fietsenmaker voor een nieuw slot, maar voor zijn venster bungelde een bordje met ‘Gesloten’ erop. Ja, ’t was zaterdag. Toen heb ik bij de

Hema het goedkoopste kettingslot uit de voorraad gehaald; later zou ik bij de rijwielhersteller wel een degelijker exemplaar kopen. Van dit laatste is het nooit gekomen en hoewel de beveiliging van mijn fiets de afgelopen zeven jaar beter had gekund, heeft de fiets mij nimmer verlaten. Totie niet meer kòn.

Nu wordt mijn dappere fiets gesloopt door mijn zonen, om er nog bruikbare onderdelen van te halen. En ik beweeg me sinds kort voort op mijn nieuwe, dat wil zeggen: nieuwe tweedehands fiets. Ik vertrouw hem nog niet helemaal en leg hem daarom vast aan een enorm zwaar kettingslot, waarvoor ik bijna net zoveel moest neertellen als voor de fiets zelve.

Met dankbaarheid herdenk ik mijn oude fiets, die van mij werd weggenomen, niet door mensenhand, maar door de tand des tijds.

Papieren vlinderstrikjes

ALVORENS DE STOEP van de Keizersgrachtkerk te beklimmen, maak ik een wandeling langs de grachten. Er hangt nog een lichte mist en de gevels aan de overkant zijn een beetje wazig. Amsterdam heeft een zondagse hoed met een voile opgezet.

Ik loop zonder bepaald plan – en opeens ben ik in een straatje waar ik, zoals dat heet, veel voetstappen heb liggen. Het vormt de verbinding tussen twee hoofdgrachten en toen ik in mijn vrijgezellentijd een kamer in een grachtenhuis had, kwam ik er elke dag door, op weg naar de krant aan de Nieuwezijds.

De bakker waar ik mijn brood haalde, is verdwenen en dat koffiewinkeltje is nieuw. Maar nòg eigentijdser lijkt me een gelegenheid die zich aandient als 'souperie'. Boven dit op het venster geschilderde woord is een gevulde soepterrine afgebeeld, en ik begrijp dat je hier soep kunt nuttigen. Maar waarom schrijven ze 'souperie' dan niet met oe? Ik kan niet naar binnen kijken; achter het raam en de smalle deur is een gestreept rolgordijn neergelaten.

Nu neem ik de overkant. De winkel op de hoek is 't zelfde gebleven, hoewel... Verkochten ze er vroeger geen stempels en naambordjes? Ik herinner me een mooie ochtend. De eigenaar van de zaak stond in de deuropening van de zon te genieten, toen mr. d'Ailly met sierlijke passen naderde. Dag meneer de burgemeester!, zei de man en hij maakte een lichte buiging. Morgen, meneer...!, riep de burgemeester terug en ik stelde vast dat de heer d'Ailly de achternaam wist van deze onderdaan. Ik geloof trouwens dat hij alle Amsterdammers bij name kende.

Dromerig drentel ik verder, langs de uitstalling van naaimachines op de hoek, langs een boetiekje met onbestemde dameskleding... en dan sta ik verbaasd stil: die ouderwetse fijnstrijkerij, waar ik in vervlogen jaren mijn overhemden bracht, bestaat nog! Net als vroeger liggen in de etalage kleine stapeltjes gewassen en gesteven overhemden en daarboven bungelt onveranderd het bordje met de mededeling: Overhemden wassen en strijken.

Dat bordje is bevestigd aan de bovenkant van drie panelen van matglas, die tot halve hoogte de afsluiting van de etalage vormen. Daarboven kon je het hoofd van de fijnstrijker zien, als hij tenminste niet op zijn fiets met de rieten mand voorop overhemden aan het bezorgen was. Wanneer ik langskwam, stak hij zijn hand op.

Over de rand van het matglas heeft de fijnstrijker een aantal door hem gereinigde stropdassen gehangen. De meeste zijn somber getint en ik stel me voor dat de eigenaars ervan voorzien zijn van een wakkere echtgenote, die heeft gezegd: Die das kun je zo niet meer om, die moet je laten schoonmaken!

Mijn ogen glijden vertederd over de kant en klare overhemden, die geduldig op hun thuiskomst wachten. Om elk hemd zit een smalle papieren wikkel met daarop binnen een zwarte lijn de naam van de strijkerij. Mij schiet te binnen dat in de kersttijd deze kaderlijn plaats maakte voor een gekleurde strook van groene hulstblaadjes en rode besjes. Zou dat nu nog zo zijn...?

Hé... die had je in mijn tijd niet. Ik druk mijn neus tegen het glas om ze beter te kunnen bekijken: kleine papieren vlinderstrikjes, aangebracht bij de sluiting van de boord van de hemden. Ze verlenen de brave kledingstukken iets frivools. Zijn ze de vrucht van een speelse inval van de vriendelijke fijnstrijker? Of leeft hij niet meer en heeft zijn opvolger het bedacht? In het lege straatje is niemand die het mij kan vertellen.

Niets is hier blijvend; alles, hoe schoon ook, zal eenmaal vergaan, laat een zondagsschoolversje ons weten, maar dit strijkwinkeltje houdt het lang vol. Het heeft de periode overleefd, dat je overhemden in je wastafel waste; ze waren van kunststof en zo droog. Daarna keerde het katoen terug, maar strijken hoefde niet: hoe gekreukter, hoe beter. Ook dit verschijnsel heeft de fijnstrijkerij, hoe schoon ook, niet doen vergaan.

Ik keer terug langs de gracht waarnaar mijn wijkkerk is genoemd en breng mijn gedachten in kerkse banen door me af te vragen in welke kerk de meneren thuishoren die hun overhemden naar de fijnstrijker brengen. Zitten ze in de Noorderkerk, bij de gereformeerde bonders? Of behoren ze tot de schare die de kansel van Nico ter Linden omstuwt? In de Keizersgrachtkerk tref je ze niet, daar zijn ze vertrouwder met stencils van kringlooppapier dan met vlinderstrikjes van gekartonneerd papier.

Even later betreed ik de kerk, met ongesteven overhemd en in stichtelijke stemming.

Speculaasjes op het brood

Hé, JIJ HEBT SPECULAASJES op je brood!, riep vormgever Erik Terlouw verrast uit toen hij mijn bureau was genaderd.

Zijn opmerking had een geestdriftig gesprek over broodbeleg ten gevolge. We waren op dit vroege uur nog de enigen in ons redactielokaal en konden ons ongehinderd aan het onderwerp overgeven.

Laat me eerst iets mogen vertellen over mijn consumptieve gedragingen in de ochtend. Ik sta voor dag en dauw op, niet uit werkdrift maar gewoon omdat ik dan klaarwakker ben. Ik zet voor mezelf een kop thee of een kop koffie en aangezien ik op dit tijdstip nog geen zin heb in een boterham, neem ik bij de thee een beschuit en bij de koffie een stuk koek. Is het tot zover duidelijk?

Goed. We gaan verder. De ervaring heeft me geleerd dat ik bij aankomst op de krant wèl trek heb in een boterham. De kantine gaat pas om kwart over negen open en zo lang kan ik niet wachten. Daarom maak ik een 'dubbele' boterham... twee sneetjes op elkaar ... klaar, stop die in een papieren boterhamzakje en steek dat bij mijn vertrek bij me. Om eventuele misverstanden te voorkomen verstrek ik nog deze bijzonderheid: nimmer zal ik het pand verlaten dan nadat ik mijn vrouw thee-op-bed heb bezorgd.

Zodra ik achter mijn bureau ben beland, open ik het vetvrije zakje en haal de boterham eruit. Ik sla deze om zo te zeggen ópen, zodat weer twee afzonderlijke sneetjes ontstaan. Thuis heb ik twee plakken kaas tussen de boterham gedaan, zodat er nu op elke snee een plak kaas ligt. Is het nog te volgen? Ja?

Mooi. Op de ochtend dat Erik mij gadesloeg, had ik niet twee plakken kaas, maar vier speculaasjes tussen mijn brood gedaan, voor elke snee twee, want de speculaasjes hebben de omvang van een halve plak kaas. Welnu, toen Erik op me af kwam had ik juist de boterham met speculaasjes opengeslagen (zal ik maar weer zeggen), zodat mijn collega moeiteloos de vier speculaasjes kon waarnemen.

Hij vond het ouderwets, hij kende het uit zijn jeugd: speculaas op je brood. Ik trouwens ook – en het was in een vlaag van heimwee-naar-vroeger dat ik me een pak speculaasjes had aangeschaft als broodbeleg, in plaats van de vertrouwde kaas.

Over vroeger gesproken, zei ik tegen Erik, heb jij ook nog boterhammen met tevredenheid moeten eten?

Erik antwoordde vaag dat hij de uitdrukking wel eens had gehoord en toen wist ik genoeg: deze na-oorlogse knaap heeft nooit aan den lijve ondervonden wat het zeggen wil, een boterham met tevredenheid te moeten nuttigen.

Een boterham met tevredenheid, legde ik uit, was een mooi woord voor een boterham met niks. Dat wil zeggen: met alleen boter erop. Bij mij thuis en bij veel van mijn leeftijdsgenoten thuis gold bij broodmaaltijden als regel dat je om en om een boterham met beleg en een boterham met tevredenheid nam.

Aan Erik was, begreep ik, deze eenvoudige vorm van onthouding nooit opgelegd, hij mocht elke boterham beleggen, maar kreeg wel op z'n kop wanneer hij zich te royaal bediende van de kaas, de hagelslag of wat ook.

Om onze conversatie enige diepgang te verlenen, bracht ik Erik onder het oog dat het verschijnsel van de boterham met tevredenheid niet per se een teken behoefde te zijn van een smalle beurs. Het salaris van mijn vader ging onder Colijn weliswaar achteruit, maar bij mijn weten zouden we best voor elke boterham beleg hebben kunnen kopen. De boterham met niks gaf uitdrukking aan het betrachten van soberheid – en soberheid was een edele vorm van fatsoen. Ik herinner me dat mijn moeder misprijzend sprak over mensen die elke week taartjes in huis haalden: dat dééd je niet, al had je er nog zo'n zin in.

Wat zou ze van mijn vier speculaasjes hebben gezegd?, dacht ik hardop.

Erik klopte me bemoedigend op de schouder: Eet ze maar lekker op! En dat heb ik ook gedaan.

Nee, die zijn hier niet meer

In welk hotel zou dat stomme mens werken?, vraag ik me af en ik merk dat ik me weer nijdig maak.

Het is zondagochtend en ik fiets door de binnenstad. Op de Noordermarkt dringt uit de Noorderkerk het stevig psalmgezang van de gereformeerde bonders tot me door. Ik herken de wijs van psalm 33. Of zouden ze bezig zijn met psalm 67, die dezelfde melodie heeft? De woorden kan ik niet volgen, al moeten ze mij vertrouwd zijn, want de bonders gebruiken de oude berijming.

De gemeente is toe aan de slotregel van een couplet. Halfluid zing ik mee en ik neem de bede, waarmee het laatste vers van psalm 33 besluit, op de lippen.

Weer steeds alle smart.

Deze regel komt heel gemakkelijk bij me naar boven, omdat er in mijn jongensjaren discussie over ontstond. Onze dominee was tégen deze regel, hij vond het verkeerd om te bidden of alle smart van jou zou worden geweerd. Van hem moesten we zingen:

Heilig alle smart.

Dat was bijbelser, legde hij uit, maar ik hield het op 'weer steeds alle smart', ik had geen zin in smart, geheiligd of niet geheiligd.

Dat Amerikaanse echtpaar van Hollandse afkomst zal

de oude berijming ook nog wel hebben gekend, bedenk ik, en ik zou hen hebben verwezen naar de Noorderkerk, in plaats van, zoals die suffe griet...

Ik neem de Prinsengracht in de richting van de Westerkerk, waar de scharen zich verdringen om de preekstoel van Nico ter Linden... Nee wacht, ik ga eerst de Spuistraat in om te kijken of de Dominicuskerk weer volloopt met roomsen-buiten-verband en gereformeerden die zich in hun eigen kerk vervelen.

Na te hebben vastgesteld dat in de Dominicus geen plek onbezet is, wend ik het stuur in de richting van het Singel. In de verte zie ik de beide torens van de Krijtberg, waar 'gewone' roomsen hun zondagse plicht vervullen. Daarnaast heb je de doopsgezinde kerk, waar de dienst ook nog aan de gang is. Maar weet zo'n malle juffrouw van de receptie veel...
Wanneer ik mijn eigen Keizersgrachtkerk binnenkom, is juist de pauze voorbij en zal de viering beginnen. Kom jij nog even je ouweltje halen?, wordt me toegefluisterd als ik op de achterste bank neerstrijk. Ik heb een bedevaart gemaakt!, fluister ik terug. Onder de koffie-na-afloop meld ik dat ik langs en soms even in een paar van de binnenstadskerken ben geweest, waar elke zondag dienst is. Waarom? Ja, eigenlijk uit kwaadheid om de idiote meid die... En dan vertel ik van de Amerikaanse meneer en mevrouw die op zondagmorgen bij de receptie van hun hotel vroegen, waar ze naar de kerk konden gaan. Het dametje achter de balie schudde haar hoofd. Het speet haar, maar ze kon de gasten niet aan kerkdiensten helpen. Die zijn hier allang niet meer!, verklaarde ze op stellige toon.

Geschokt liep het Amerikaanse echtpaar naar buiten.

Was Amsterdam al zó diep gezonken dat je er niet meer naar de kerk kon? Nou, dan zouden ze maar een wandeling langs de grachten maken.

Dat deden ze en de wakkere lezer raadt het al: ze passeerden de Keizersgrachtkerk en hoorden zingen. Weliswaar geen ouderwetse psalm, maar een liedje van Huub Oosterhuis. Je kunt niet alles hebben.

De Amerikanen gingen naar binnen en verhaalden de dorpelwachter al hetgeen de receptioniste hun had verkondigd. Toen ik het later vernam, maakte ik me er nijdig om.

Ik kan me er nòg nijdig om maken.

Met patates in de synagoge

OP MIJN ZATERDAGSE slentertocht over de Albert Cuypmarkt kom ik langs de kraam, waar ik verleden jaar het zomerse streepjeshemd dat ik nu draag, heb gekocht.

Wanneer ik me in dit kledingstuk vertoon, gebeurt het meermalen dat omstanders zich er lovend over uitlaten. Van de Albert Cuyp, voor maar vijftien gulden!, verklaar ik dan trots, want in de kringen waarin ik verkeer is het gebruikelijk op te scheppen over de lage prijs die je ergens voor hebt betaald. Meestal vertel ik erbij dat, toen ik met deze aanwinst thuiskwam, mijn vrouw uitriep: Zo een wil ik ook wel!

Goed, antwoordde ik, dan ga ik er morgen uit de krant weer even heen. Er hingen nog meer van die hemden, ook in andere kleuren.

Maar mijn vrouw begeerde een hemd dat zich in niets van het mijne zou onderscheiden en zo geviel het dat ik des anderen daags bij de betrokken kraam een dubbelganger uit de rij viste.

Ze vliegen weg!, verzekerde de jonge vrouw die de kraam beheerde. Ze vouwde het door mij gekozen hemd in een plastic zak en ik overhandigde haar vijftien gulden, keurig afgepast, maar zij zei dat dit vijf gulden te weinig was.

Nee hoor, wierp ik tegen, ik heb gisteren voor precies hetzelfde hemd vijftien gulden betaald, er hing trouwens een bordje bij met die prijs erop.

Ik keek rond of de man die me de dag tevoren het hemd

voor vijftien gulden had geleverd, er ook was, maar ik zag hem niet. De vrouw verklaarde effen: Ze kosten twintig gulden! – en daarbij wees ze naar een boven de rij hemden bungelende tekst, waar ik nog geen erg in had gehad: NU SLECHTS TWINTIG GULDEN!

Ik schoot in de lach en legde vijf gulden bij. 't Was nòg goedkoop.

Vandaag, merk ik, is de man die me vorig jaar hielp, weer op zijn post en wéér omringd door hemden van vijftien gulden. Zou hij die straks, indien ze net als hun voorgangers wegvliegen, ook naar boven toe afprijzen...?

Het loopt tegen het middaguur en ik bedwing de lust om aan het eind van de markt een portie patates zònder te kopen, niet. Als ik me, beladen met de lekkernij, omdraai voor de terugtocht, zie ik uit een zijstraat een vader met zijn zoontje naderen. De man steekt van top tot teen in het zwart en draagt een zware baard; de jongen heeft een keppeltje op het hoofd. Die komen uit de synagoge aan de Gerard Dou, stel ik vast.

Ontelbare malen ben ik langs het bescheiden, laat-negentiende-eeuwse gebouw gefietst en even zo vaak trof me hoezeer de gevel ervan lijkt op die van een afgescheiden kerk. Het interieur ken ik niet, maar misschien dat nu... Haastig sla ik de Gerard Dou in.

De deur van de synagoge is nog open. Op de drempel staan twee mannen te praten en aan hen vraag ik, of ik even binnen mag kijken. Het mag – en een van de mannen zoekt een keppeltje uit om mijn kale kruin te dekken. Even later staan we met ons drieën achterin de intieme besloten ruimte, waar hoge vensters veel licht toelaten.

Deze synagoge is de enige die de Duitsers niet hebben geplunderd en beschadigd; ze hebben het gebouw nooit in de gaten gehad, verneem ik. Mijn ogen dwalen langs de stille wanden en opeens besef ik dat ik een half leeggegeten zak patates in de hand heb. Verlegen frommel ik het zakje dicht en ik denk aan het jongetje dat hier met zijn vader was. Zou hij niet liever buiten hebben gespeeld?

We staan nog steeds achterin de synagoge. Ik weet niet wat ik zeggen moet en daarom zeg ik: Ik ben gereformeerd opgevoed en mij is geleerd eerbied te hebben voor de joden omdat zij Gods volk zijn...

De man die mij het keppeltje gaf, glimlacht even.

Buiten eet ik mijn patates verder op.

Een onsje gesneden laurierdrop

EEN MARKTKOOPMAN van het Waterlooplein heeft zijn waren op de grond uitgestald. Zijn negotie omvat een hoopje oude kleren en twee rijen boeken. Hij zit er op een versleten leunstoel zeer ontspannen bij en als iemand hem naar een prijs vraagt, geeft hij op vermoeide toon antwoord, alsof hij praat tegen een drenzend kind.

Ik buk me en vis uit de voorste rij boeken een dik, in grijs-beige linnen gebonden exemplaar met op de rug een fraai gestileerde vrouwenfiguur in zwart en goud.

Het boek komt me vertrouwd voor en nauwelijks heb ik het in de hand of ik herken het: De Opstandigen van Jo van Ammers-Küller. Op de voorkant zie je die vrouwenfiguur weer, nu groter en vlak boven de titel die óók in zwart en goud is uitgevoerd – heel voornaam tegen de stemmige grijs-beige achtergrond.

Op de titelpagina lees ik dat het in 1925 is uitgekomen. Ze konden toen mooie boeken maken en het spijt me haast dat ik De Opstandigen niet hoef te kopen, omdat ik een paar jaar terug deze lijvige familieroman in dezelfde uitvoering al van het Waterlooplein heb meegenomen. Voor een gulden.

Ik leg Jo van Ammers-Küller terug en pak een ander boek op. Het is kleiner van formaat, maar nauwelijks dunner. Het is Brood voor het hart, een bijbels dagboek van dominee J.J. Buskes. Ik ben dus beland bij de afdankers van een ordentelijke christelijke boekenkast.

Even nagaan of het klopt... Ja hoor, daar heb je De

kloof zonder brug van Rie van Rossum en ik zie ook Fir van Jan H. de Groot. De mensen die deze boeken in huis hadden, waren natuurlijk geabonneerd op de Nobel-reeks en de Opgang-serie en gingen regelmatig ter kerke.

Strikt genomen past De Opstandigen hier niet tussen, maar het merkwaardige was dat in 'n tikje rekkelijke orthodoxe gezinnen twee heidense schrijfsters toegelaten werden: Ina Boudier-Bakker en Jo van Ammers-Küller, want die schreven zulke fijne historische boeken en familieromans en dan nam je maar op de koop toe dat de bevolking van deze turfhoge werken niet bad voor 't eten.

Een grensgeval vormden de boeken van de schrijfster C.M. van Hille-Gaerthé en G. van Nes-Uilkens. Mijn moeder las ze, maar ik herinner me dat we eens een tante over de vloer hadden die haar afkeuring uitsprak over deze vrijzinnige lectuur. Als 't nu nog historische romans geweest waren...

Omdat het voortdurend bukken me verveelt en een gehurkte houding ook niet alles is, ben ik inmiddels op mijn knieën gaan zitten en geknield begin ik aan de tweede rij boeken. Over vrijzinnig gesproken...! Het eerste werk dat ik tegenkom is de vertaling van het Nieuwe Testament door H. Oort. Alsjeblieft, de Leidse vertaling, onvervalst vrijzinnig. En wie leunt er tegen dit fors uitgevallen Nieuwe Testament aan? G. van Nes-Uilkens!

Ook de overige boeken van de tweede rij willen weten dat ze uit een vrijzinnige kast afkomstig zijn. Er is nogal wat van en over Albert Schweitzer en deze loochende dat de mens van nature geneigd is tot alle kwaad. Nu kon je van die geneigdheid bij hem niet veel merken, maar toch! En daarom weerde de orthodoxie hem uit de bibliotheek.

Ingenomen met de overzichtelijke wereld die de beide

boekenrijen me hebben geboden, sta ik op. Ik moet voor mijn vrouw nog naar de drogist op de Heiligeweg. Gesneden zachte laurierdrop halen.

Als ik de boodschap heb gedaan, zie ik juist een optocht van het Koningsplein de Leidsestraat binnentrekken. Het is een demonstratie, maar waarvoor of waartegen kan ik niet nagaan. De letters op de spandoeken zijn te onduidelijk voor mij en de woorden die een actievoerder door een megafoon roept, worden vervormd en bovendien overspeeld door een draaiorgel. Ik zal 's avonds op het journaal wel zien wat het was.

Even later, in de Spiegelstraat, bereikt trompetgeschal mijn oor. Op de hoek van de Kerkstraat staat een jazzband dixielandmuziek te spelen. Ik blijf staan luisteren, geleund tegen mijn fiets, en tik met mijn voet het lekker-strakke ritme mee. Mijn heimwee naar vroeger, toch al gevoed door Jo van Ammers-Küller, neemt met de minuut toe. Hoor, nu spelen ze Some of these days...

De groep luisteraars groeit aan, ik sla nu ook met mijn hand de maat, op het stuur en een vrouw in mijn leeftijdsklasse maakt een paar danspassen. Zal ik meedoen? Slow, slow, quick-quick... Nee, toch maar niet, ik moet nu nodig naar huis met dat onsje gesneden zachte laurierdrop.

Vakantie op een pleintje

VAN DE KRANT naar huis fietsend, hoor ik op de Ceintuurbaan mijn naam roepen. Ik stop en op het trottoir loopt een collega naar me toe – een aardige jonge vrouw, afkomstig uit een rooms nest.

Na haar een knuffel te hebben toegediend, stel ik vast dat ik haar geruime tijd niet heb gezien. Waar heeft ze toch gezeten? Ze vertelt dat ze op vakantie was.

Dat klopt. Ik bedoel dat ze zegt: òp vakantie. Roomsen gaan òp vakantie, protestanten mèt vakantie. Helaas wordt dit aardige onderscheid de laatste tijd in toenemende mate verdoezeld in deze zin, dat steeds meer protestanten ook òp vakantie gaan. Laten we toch oppassen, dat we het erfgoed der reformatie niet verkwanselen!

Dit alles zeg ik niet tegen mijn lieve collega. Aan haar vraag ik, waar zij is geweest en zij antwoordt: Hier, in Amsterdam. 't Was heerlijk!

Geestdriftig vat ik haar bij de arm. Ik heb een geestverwante te pakken! Ik ben van gevoelen dat je niet fijner vakantie kunt houden dan door gewoon thuis te blijven in Amsterdam. En aan de rand van het trottoir sommen we samen de geneugten op van een zomerse vakantie in onze eigen stad. De meeste inwoners zijn vertrokken en we hebben ze hartelijk uitgewuifd: Nou, goeie reis, hoor, en veel plezier! We waren zielsgelukkig dat we zelf niet in een bus of zo hoefden te klimmen, maar lekker konden achterblijven in de lege stad, waar een dorpse rust heerst in de winkels, waar je niet in de rij hoeft staan in 't postkantoor en waar je in het buurtcafé loom een praatje aanknoopt met de enkele stamgast die er nog zit.

En de vele toeristen dan?

O, die stoppen we in de binnenstad en in musea, van hen hebben we geen last in Oud-Zuid en het is alsof de lieve, 'n beetje vale straten opfleuren door de kalmte die zich aan hen meedeelt.

Wij, mijn collega en ik, worden helemaal lyrisch en we spreken een avond af, waarop we een stil terrasje zullen uitzoeken om alle aangename kanten van een vakantieverblijf in Amsterdam op ons gemak te belichten. Dan kun je er daarna over schrijven, oppert mijn collega, maar ik merk dat ik nu al bezig ben.

We nemen afscheid en ik besluit naar huis te rijden langs het Gerard Douplein. Dit is een bescheiden plein dat je in geen enkele reisgids zult aantreffen en waar de VVV je niet opmerkzaam op zal maken. Het is dit pleintje dat me het sterkst een vakantiegevoel geeft in Amsterdam.

Het ligt midden in de oude volksbuurt de Pijp, vlak bij de Albert Cuypmarkt. Er is maar één terras en dat wordt omzoomd door in grote bakken geplaatste heesters. Tussen die heesters staat een folkloristisch-achtige kar en die is volgestouwd met vrolijke rode geraniums. Terzijde van het terras staat een groepje volwassen bomen, waarvan het groen nu heel dicht is. Aan de overkant prijkt nòg een pluk hoge bomen en ook daar beletten bakken met heesters dat voetgangers en spelende kinderen kunnen worden overvallen door automobilisten.

De negentiende-eeuwse huizen die het pleintje omsluiten, zijn niet fraai, maar ze bezitten de vermoeide charme van hun leeftijd. Wie moppert dat het hier toch wel erg druk is met al die auto's die af- en aanrijden van en naar de markt, krijgt van mij een terechtwijzing: dit is geen drukte, maar bedrijvigheid en dat is heel iets anders. Drukte om je heen kan hinderlijk zijn, maar bedrijvigheid biedt afleiding en ontspant een mens.

Ik heb een plaatsje op het terras gezocht vlak bij de geraniums en ik ruik de geur van verse aarde. Ik heb geen vakantie, maar ik krijg moeiteloos een vakantiegevoel, hier op het Gerard Douplein. Ik zit ergens in, pak weg, Frankrijk, in een stadje met vergeelde panden en met door bladeren gezeefd zonlicht... Nou ja, zoiets.

Maar wat fijn dat ik mijn bestelling in het Hollands kan doen en wat fijn dat mijn fiets daar staat, die me straks naar mijn eigen huis zal brengen, waar ik vanavond in mijn eigen bed kruip.

Vakantie in Amsterdam, echt of verbeeld, is heerlijk. Heus.

Een rinkelbelle op de vélo

ONDERAAN DE BRIEF STAAT EEN P.S.: Hoe gaat het met uw nieuwe tweedehands fiets?

Dit is een belangrijke vraag en ik ga terstond over tot de openbare behandeling ervan.

Het rijwiel maakt het uitstekend, dank u – om van zijn berijder maar te zwijgen! Wij zijn al aardig aan elkaar gewend en kunnen heel goed met elkaar opschieten. Het verlies van mijn vorige fiets, die me tot aan z'n roestig levenseinde trouw was gebleven, heb ik snel kunnen verwerken; het rouwproces nam nauwelijks een week in beslag.

Het genoegen van ons samengaan werd aanvankelijk enigszins verstoord door de moeilijkheden welke ik had met het forse kettingslot, dat mijn pas verworven voertuig tegen overtreders van het achtste gebod dient te beschermen. Ik kon het niet dan na veel en zenuwachtig wenden en keren van het sleuteltje open krijgen en als het dan weer op slot moest, kostte dit ook langdurig en moeizaam gemorrel. Ik had volstrekt geen greep op dat in blauw plastic gehulde kettingslot, hoewel de verkoper mij de greep enige malen had voorgedaan.

Als ik het hierover heb, moet ik terugdenken aan de eerste keer dat ik des avonds mijn nieuwe tweedehands fiets besteeg. Ik zou naar de verjaardag van een collega gaan, die aan de rand van Oud-Zuid woont. Op verjaarsvieringen buiten dit stadsdeel zal men mij niet aantreffen, er zijn grenzen.

Welnu, zowel bij mijn vertrek van huis als na het bereiken van de straat mijner bestemming heb ik bij de invallende duisternis zó lang aan dat ongelukkige slot staan prutsen, dat geen feestvreugde mijn deel werd. Ik trof het gezelschap aan in grote ongerustheid over mijn uitblijven. De gasten hadden troost en houvast gezocht in de fles – en er was niets meer over, zelfs niet om mijn behouden aankomst bescheiden te vieren.

Inmiddels heb ik toch nog een mooie relatie met het kettingslot mogen opbouwen, we begrijpen elkaar nu veel beter dan in de beginperiode, dus daarover hoef ik verder niet te zaniken. We keren thans terug tot de nieuwe tweedehands fiets zelve. Het meest opmerkelijke eraan is de bel die het doet. Voor velen zal dit niets bijzonders zijn, maar ik heb jaren achtereen op een fiets gezeten met een bel die het niet deed. Ik heb daar nooit bij stilgestaan; ik vond het, denk ik, gewoon: een fietsbel die het niet doet. Ik heb me er dan ook nooit in verdiept, waaròm hij het niet deed.

Op het punt van fietsbellen heeft men nooit op mij aangekund. Ik herinner mij een fietstocht die ik in de tweede helft van de jaren veertig maakte door het noordelijk gedeelte van het land der Belgen, samen met mijn vriend, die zich later zou ontplooien tot zwager. Op zeker moment werd ik aangehouden door een Vlaamse koddebeier, die mij vriendelijk berispte omdat ik geen 'rinkelbelle op de vélo' had.

In Amsterdam ben ik nooit door een agent benaderd wegens mijn fietsbel, hetgeen heel goed verklaarbaar is uit het feit dat je aan mijn fietsbel niet kon zien dat hij het niet deed.

Heb je in Amsterdam eigenlijk wel een fietsbel nodig? Ik

ken maar twee plekken in de stad waar een praktizerende fietsbel je van pas komt: op het fietspad langs de Spiegelgracht en dat in de bocht van de Herengracht. Beide fietspaden worden veelvuldig door voetgangers betreden – en die mensen moet je dan waarschuwen dat je er aankomt.

In plaats van mijn fietsbel die het niet deed, gebruikte ik mijn mond. Als er jongeren in het spel waren, riep ik: Hé! Voor wandelaars van gevorderde leeftijd had ik: Pas op! en toeristen bracht ik van mijn fietsende nadering op de hoogte met een luid: Hallo-hallo! Op z'n Frans, dus snel en zonder de h uit te spreken. De vreemdelingen stoven hierop verschrikt uiteen.

Maar nu heb ik een rinkelbelle op de vélo die kan rinkelen.

Vrolijk rinkelend fiets ik de grachten af, mijn keel en voetgangers sparend.

Vrome versjes in de storm

Ze stond bij de ingang van de winkelgalerij te zingen. Een meisje, meende ik eerst, maar toen ik dichterbij kwam, zag ik dat zij een tengere vrouw was met al 'n beetje grijzend haar.

Ze droeg een veelkleurig jek met daaronder een felgroene broek. Voor haar buik hield ze een klein tokkelinstrument dat ik niet wist te benoemen en waarop zij zichzelf begeleidde met simpele akkoorden. Aan haar in sportschoenen gestoken voeten zat een klein waaks hondje te passen op de omgekeerde herenhoed, waarin zich een laagje vormde van de zilveren muntstukken die milde voorbijgangers voor de zangeres hadden bestemd.

Voordat ik verder ga dit. De mensen vragen me wel eens of de dingen die ik in mijn stukjes vertel, op waarheid berusten. Ja!, antwoord ik dan naar waarheid. Alleen zet ik soms de neus van de een op 't gezicht van de ander als ik niet wil dat iemand de kans loopt te worden herkend. Maar 't is allemaal echt gebeurd. Ik bezit trouwens ook te weinig fantasie om maar van alles te kunnen verzinnen.

Dit ter inleiding op de nu volgende, treffende bijzonderheid.

Juist toen ik, voortgedreven door windkracht tien, de zingende vrouw naderde, haalde zij flink uit met: 'Schoon stormen woeden, ducht toch geen kwaad...'

Nou...? Zoiets verzin je toch niet! Behalve misschien wanneer je een bekeringsroman schrijft. De volledig tot het heidendom vervallen hoofdpersoon gaat uit winkelen en nog hijgend van het optornen tegen de storm hoort hij plotsklaps die woorden uit het lied, dat zijn vrome moeder hem in zijn prille jeugd leerde – en dan steekt de storm op in zijn hart...

Want de tekst die mijn oor en dat van de denkbeeldige afvallige opvingen, kon ik terstond thuisbrengen als afkomstig uit het oude zondagsschoollied 'Als g' in nood gezeten'. Ik neuriede moeiteloos de volgende regels mee: 'God zal u behoeden, uw toeverlaat.'

De vrouw ging zonder pauze over op een ander lied: 'Neem mijn leven, laat het, Heer, toegewijd zijn aan Uw eer.' Gezang 473! (Dit nummer heb ik later thuis opgezocht.) De zangeres nam een hoog tempo en ik vertraagde mijn pas om te kunnen nagaan of zij ook het vierde couplet zou aanheffen, dat begint met de opwekking: 'Neem mijn zilver en mijn goud, dat ik niets daarvan behoud.' Ze was zo verstandig, te stoppen na het tweede couplet en iedereen bleef van het door haar vergaarde zilver af.

Hooggestemd liep ik verder. Wat een dappere vrouw! Wat een moed om bij weer en wind midden in het goddeloze Amsterdam zingend te getuigen van je geloof en je daarbij prijs te geven aan spot en hoon. Goed, er was wel geen spot of hoon, maar 't had gekund, nietwaar?

Ik was op weg naar een ruimte met volledige vergunning, waar een kennis die me wilde spreken, me had besteld. Nauwelijks had ik het lokaal betreden en de ander begroet, of ik barstte los in een geestdriftig verslag van mijn stichtelijk wedervaren. Heb je in je ontroering veel in die hoed gegooid?, vroeg mijn kennis. Niets!, moest ik bekennen. Ik had alleen een briefje van vijftig bij me en... nou ja, dat zou tòch zijn weggewaaid.

Daarop vertelde mijn metgezel dat hij onlangs ook diep was bewogen door het optreden van een straatzangeres met louter christelijke liederen op haar repertoire... 'misschien dezelfde dame als die jij net zag'... en dat hij onder de tonen van 'Blijf bij mij, Heer' twee klinkende munten van vijf gulden in de centenbak had geworpen. Even later zat hij in de kroeg, die wij nu bevolkten, en kort na hem verscheen er de gelovige zangeres, die de door hem geofferde vijfjes op de tapkast legde en in ruil daarvoor snel een aantal jonge klares naar binnen sloeg.

Niet dat ik haar geen borrel gun, besloot mijn kennis, maarre...

Mijn juffrouw had geen bakje, maar een hoed, verdedigde ik haar – en tegelijk betastte ik het bankbiljet in de binnenzak van mijn jek.

Een appel eten in het openbaar

TOEN IK ME BUKTE om mijn fiets van 't slot te doen, vloog de appel die ik had meegenomen voor onderweg, uit mijn jaszak. Ik had hem er zeker niet diep genoeg in gestopt. De appel rolde met een vaartje van het trottoir en verdween onder een voor m'n huis geparkeerde auto. Spijtig keek ik hem na. Zou ik naar binnen gaan en een bezem pakken om te proberen daarmee de appel weer binnen mijn bereik te krijgen? Nee, besloot ik, dat wordt een heel karwei en bovendien is het de vraag of hij nog te eten is. Dan maar zonder appel op pad.

Deze beslissing viel me overigens zwaar. Ik ben er bijzonder op gesteld om fietsend naar de krant een appel te eten. Dit geeft me het gevoel dat de jongenskiel nog om mijn schouders glijdt.

Mijn beide zussen en ik genoten christelijk voortgezet onderwijs in ver van ons bescheiden dorp gelegen plaatsen. Mijn vader maakte bij 't krieken van de dageraad de pakjes brood klaar voor tussen de middag. Hij legde deze gereed op de schoorsteenmantel boven het fornuis in de keuken en voorzag ze van een briefje met onze namen erop, want onze lunchpakjes waren verschillend samengesteld: wat de één graag op 't brood had, lustte de ander juist niet. Mijn moeder waakte ervoor dat we voldoende fruit naar binnen kregen en daarom moesten we ook altijd een appel bij ons steken.

Omdat ik die appel zo'n hinderlijke bobbel in mijn schooltas vond, begon ik eraan zodra ik op de fiets zat.

Daarbij sloot ik dan een kleine weddenschap met mezelf, hoe lang ik met de appel zou doen. Zou ik ermee toe kunnen tot ik de grote villa van de fabrikant Siem Valkenburg passeerde of zou ik hem al op hebben ter hoogte van 'Zonnehof' van meester Middeldorp?

Het malle is, dat ik op weg naar m'n werk dit spelletje nu nog vaak doe. Haal ik met m'n appel het Weteringplantsoen of zou ik al moeten wachten voor het stoplicht bij het Rijksmuseum? In het laatste geval is de appel achter m'n kiezen verdwenen vóórdat ik de Stadhouderskade oversteek en werp ik het klokhuis met een brede armzwaai in de Singelgracht. In alle gevallen is het uitkijken dat je niet zo'n hard stukje van het klokhuis tussen je tanden krijgt, want dat is erg hinderlijk.

Maar goed, die ochtend moest ik in onthouding fietsen en laat ik nu uitgerekend op die appelloze dag in de trein drie appeleters ontmoeten. Ik had een afspraak in Utrecht en op de heenweg... het was omstreeks het middaguur... kwam een man in mijn coupé zitten, die niet de moeite nam zijn fel-geel plastic regenpak uit te trekken, zodat hij een enigszins verblindende verschijning vormde.

Hij was wat je noemt een gezonde eter. Hij werkte eerst vier tarweboterhammen naar binnen, sloeg vervolgens een pakje volle melk van een halve liter in een paar teugen achterover en zette tenslotte zijn tanden in een forse appel. Ik moest direct weer aan mijn onder een auto verdwenen appel denken.

Na de voltooiing van mijn Utrechtse zending aanvaardde ik de terugreis. Heen en weer lopend op het perron... mijn trein zou over een minuut of zeven komen... passeerde ik een bank, waarop een oudere heer zat, die zorgvuldig een appel schilde boven de op zijn knieën uitgespreide krant. Vergenoegd bracht hij telkens een klein partje van de vrucht naar de mond en opnieuw stak mij het gemis van mijn ochtendlijke appel.

Toen de trein bijna wegreed, sprong er nog een jonge man in, die hijgend tegenover mij plaats nam. Hij droeg de speld van het IKV op de revers van zijn jek en zag er ook verder geheel uit als iemand die een hekel heeft aan kernwapens. Bij het passeren van Maarssen was het jongmens weer op adem. Hij zette zijn gebreide muts af, krabde zijn baard, ritste zijn jek open en wurmde uit een zijzak een appel, waaraan hij onmiddellijk begon, niet beseffend wat hij mij daarmee aandeed.

Ik gaf me echter niet over aan droeve gedachten, maar tilde in de voortsnellende trein de zaak terstond op een hoger plan door me de vraag te stellen: wat hebben deze drie appeleters mij te zeggen? Mijn slotsom was, dat zij mij erbij bepaalden dat ik nog nooit een vrouw heb waargenomen die in het openbaar een appel eet.

Hoe zou dat komen? Het antwoord op deze vraag heb ik nog niet gevonden. Het kan zijn dat de geschiedenis van Eva een vrouw ervan weerhoudt, op straat of tijdens het gebruik van publiek vervoer een appel te verorberen, doch zeker ben ik hier niet van. Wie zet dáár de tanden eens in?

Een zondagochtend met zon

Het is de zondag waarop Rachwa en Shewit worden gedoopt.

Al vroeg heb ik mijn fiets gepakt en ik dwaal wat door de oude binnenstad. Traag trap ik – en als ik liep, zou je kunnen zeggen dat ik slenterde. Toch ga ik niet helemaal zonder doel. Ik wil terechtkomen bij de Kromboomssloot.

De zon is al volop in de weer, de oude gevels staan te genieten en de verse, vrolijk geverfde flatgebouwen in de Nieuwmarktbuurt krijgen er een blosje van. De meeste mensen slapen nog, ik kom alleen een plukje toeristen tegen. Hoe zouden zij de stad vinden? Ik probeer met hun ogen te kijken: Moet je daar dat grappige bochtige grachtje eens zien...!

De aanblik van de Kromboomssloot vertedert. Amsterdam is hier en op dit stille uur heel lief. Het grachtje met de knik erin is niet breed en aan de wal leunen de smalle huizen lekker tegen elkaar aan. Ik zoek de achttiende-eeuwse deur, waarover ze 't hadden in de radiorubriek 'Meer over minder' van de NOS. Die deur, werd verteld, hoorde vroeger bij een rooms meisjespensionaat en was nu sinds kort de ingang van de Armeense kerk in ons land.

Aan de overkant prijkt de deur, breed en weelderig versierd. Hij valt een beetje uit de toon in deze bescheiden omgeving. Ik stap er, met de fiets aan de hand, op af, bestijg de hoge stoep en merk dat in de deurknop geen beweging is te krijgen. De zaak zit nog op slot.

Jammer... Ik was benieuwd naar het inwendige van het gebouw. Zou het ongeveer zo zijn ingericht als de Armeense kerk in Amsterdam uit zeventienhonderdzoveel? Daarvan heb ik een afbeelding gezien in de christelijke encyclopedie, die ik na afloop van 'Meer over minder' raadpleegde – en zo kunnen ze bij de NOS vaststellen dat dit radioprogramma de zelfwerkzaamheid van de luisteraars bevordert.

Langzaam daal ik de stoep af, bedaard fiets ik verder.

Even later word ik op de Zwanenburgwal aangeklampt door een enigszins smoezelige heer van beperkte omvang. Hij steekt in een grijzig pak en kauwt vlijtig op gepelde pinda's, die hij met de duim en wijsvinger van zijn linkerhand opvist uit een slordig opengescheurd zakje in zijn andere hand. Doordat hij deze bezigheid niet staakt wanneer hij het woord tot me richt, versta ik hem eerst niet, maar als hij met lege mond de zin herhaalt, begrijp ik dat de vraag is naar 'een protestants kerkje hier ergens, aan een gracht en met een pleintje ervoor'.

Hij spreekt het woord 'protestants' uit met een korte o en dat klinkt deftig. De Waalse kerk!, opper ik prompt. Die is weliswaar niet klein, maar ligt aan de Oudezijds Achterburgwal en is te bereiken over een pleintje. De man schudt heftig van nee, werkt een paar pinda's weg en brengt op verwijtende toon onder mijn aandacht dat het hem gaat om een protestànts kerkje.

De Waalse kerk is juist heel erg protestants!, beveel ik aan, maar het heertje haalt de schouders op en wandelt weg met het zakje gepelde pinda's. 't Spijt me, ik heb verder niets in de aanbieding.

Mij valt in dat je vóór de oorlog aan de Rechtboomssloot een gereformeerde kerk had, één van de vijf die aan het eind van de vorige eeuw in rap tempo verrezen ten gerieve van de volgelingen van Abraham Kuyper. Van die vijf is alleen de Keizersgrachtkerk nog over.

Dáárheen wend ik nu het stuur en ik kom precies op tijd aan om de doop van Rachwa en Shewit mee te maken.

Het zijn Eritrese meisjes en dominee Bram Grandia legt uit dat Rachwa (Rachel) schaap betekent en Shewit vruchtbaarheid. Vanaf mijn plaats op de achterste bank zie ik de vloeiende lijnen van de roomkleurige gewaden, die de vrouwen bij het doopvont hebben omgeslagen. Aan mijn voeten, of liever: aan die van haar vader naast me, speelt een Eritrees meisje van een jaar of drie. Af en toe draaft ze heen en weer en dan heb je pas goed in de gaten hoe schitterend zij er uitziet in haar met strikken en linten versierd jurkje, dat reikt tot haar in witte schoentjes gestoken voeten.

Langs de hoge steekkappen glijdt het zonlicht de kerk binnen.

Leuzen bij het fietstunneltje

De wanden van de afrit naar het fietstunneltje naast het Amstelhotel zijn voorzien van leuzen. Ik kom er, met het oog op mijn broodwinning, telken dage langs en dan lees ik aan de ene kant:

Stop bombardementen in El Salvador!

Bij mijn weten wordt, althans op het moment dat ik met dit stukje bezig ben, ginds reeds aan deze opwekking gevolg gegeven. De gekalkte letters zijn dan ook al een beetje vergeeld.

Aan de overzijde prijkt in vers wit de tekst:

Vrijheid voor El Salvador! PMLN!

Wat 'PMLN' precies betekent, kan ik niet zeggen, maar natuurlijk stemmen we in met de wens dat er vrijheid zij in El Salvador.

Het is wel altijd uitkijken met het kalken van leuzen voor of over Latijns-Amerikaanse landen. Zij vormen een nogal woelig gebied, waar de situatie elk ogenblik kan omslaan – en voordat je er erg in hebt, is je edele leus oudbakken. Toch adviseer ik in zo'n geval: laat 'm staan, kalk er niets overheen, want met een dag of wat kan dezelfde leus weer super-actueel zijn!

Onlangs kwam ik tijdens mijn tocht naar de krant op het aardige denkbeeld, een nachtelijke kalker een som gelds aan te bieden en hem te verzoeken, in ruil daarvoor op de wand van de afrit naar het fietstunneltje voornoemd, deze oproep aan te brengen:

Gun Latijns-Amerika zijn Hoekse en Kabeljauwse twisten!

Hieraan ligt de volgende overweging ten grondslag. Eeuwen geleden was het ook in ons land geenszins koekoek-één-zang en we hebben allen op school geleerd hoe dat heette.

De Hoekse en Kabeljauwse twisten, juist. We hebben die twisten rustig laten uitwoeden en zij namen zonder tussenkomst van protestmarsen een einde. Later was er nog onenigheid tussen Kezen en Oranjeklanten, maar ook die verdween zonder dat er een spandoek aan te pas kwam. Sedertdien scharen wij ons eensgezind om de troon – zeg nou zelf.

Welnu, bedacht ik, intussen peddelend op de Weesperzij, we kunnen die vurige vechtjassen in El Salvador en omstreken veel beter niet voor de voeten lopen met onze optochten en gekalkte leuzen, dan kunnen zij ongehinderd hùn Hoekse en Kabeljauwse twisten afronden en hebben wij er verder geen omkijken naar.

Aldus kwam ik op mijn, voor ieder die goed heeft opgelet onder de vaderlandse geschiedenisles, verstaanbare leus. Maar aangeland in de Wibautstraat, liet ik mijn aardig denkbeeld al weer varen, omdat het misschien toch niet zo aardig was. Bovendien beschik ik niet over sommen gelds.

Intussen zou ik, indien ik een kalker ware, er nooit toe overgaan, op een Amsterdamse muur te kalken dat het nu maar eens afgelopen moet zijn met bommen gooien in El

Salvador – hoezeer ik ook een afkeer heb van bommen en granaten en zelfs van speelgoedpistooltjes. Ik zou krachtig geremd worden door de overtuiging dat er tòch nooit een hooggeplaatst iemand uit El Salvador langs trekt die bij het zien van de gekalkte boodschap, zich prompt voorneemt: Ik zal eens een stokje steken voor die bombardementen!

Wat ik, indien ik een kalker ware, wèl zou doen?

Ik zou ook met 'stop' beginnen, maar aanzienlijk dichter bij huis blijven; ik zou met grote geestdrift op de wand van de afrit naar het fietstunneltje naast het Amstelhotel kladden:

Stop de bouw van plompe, poenige bankgebouwen aan het Rokin!

Ach, dat is te laat. Maar dan heb ik voor de overkant:

Vrijheid voor Amsterdam! AJK!

Nou...?

'n Luchtig taboe doorbroken

We zaten aan tafel toen zij dat vertelde.

Het was in de laatste oorlogswinter. De Duitsers hadden ons huis gevorderd en wij waren ingekwartierd in de hervormde pastorie. Dit was in zoverre geen ramp omdat mijn ouders en het domineesechtpaar zeer bevriend waren – en ook wij, de wederzijdse kinderen, konden goed met elkaar overweg. Bovendien telde de oude dorpspastorie een menigte vertrekken.

We aten gemeenschappelijk in een vriendelijke zijkamer, aan een lange tafel waaraan ook de beide dienstboden aanzaten. Die van ons was enigszins bedeesd, maar het dienstmeisje van de dominee was dit geenszins en zij was het die, alvorens de borden af te ruimen, ons die keer dat verhaal over haar broer deed.

Voordat ik verder ga, geef ik als achtergrondinformatie dat in ons dorp een keurige familie woonde, die om onnaspeurlijke redenen de bijnaam 'scheet' droeg. Welnu, de dienstmaagd van onze eerwaarde gastheer en gastvrouw liet, hikkend van de lach, ons weten dat haar broer de avond tevoren 'een paar van die scheten' was gepasseerd en dat hij, toen hij langs hen kwam, een keiharde had gelaten...!

Wij durfden er niet om te lachen, we keken bedremmeld naar onze ouders. Over het laten van een wind, ook wel 'scheet' genaamd, prâátte je niet, was ons bijgebracht. De dominee, die een uiterst minzaam man was, redde de situatie. Hij mompelde: Nou-nou!, en liet hier terstond op volgen: Wij gaan lezen! Hij pakte de bijbel en las er een gedeelte uit voor, zoals hij, of mijn vader, trouwens altijd deed na afloop van de warme maaltijd.

Dat ik nu, zesenveertig jaar nadien, met dit verhaal voor de dag kom, is omdat het laten van winden bespréékbaar is geworden. Deze ontwikkeling danken wij aan de inspanningen van de dames Vic Sjouwerman, kinderboekenschrijfster, en Anneke Hohmann, tekenares. Zij hebben zich onvervaard op de winden geworpen en deze geïnventariseerd en gerubriceerd. Ze kwamen tot negen soorten winden en bij elke soort onderscheidden zij vier genres. Daar hebben ze toen het Windenkwartetspel van gemaakt, met viermaal negen, dat is zesendertig kaarten.

Dat wordt dus straks vrolijk kwartetten: Mag ik van jou van de Openbare Winden, de Erwtenknetter?

Heb ik niet. Maar ik wou graag van de Verlegen Winden, de Blindganger...

De brief, waarin me de geboorte van dit kwartetspel werd gemeld, begint zo: 'Elk mens ontglipt wel eens een wind. Een luchtig taboe.' Dit luchtig taboe is thans doorbroken en ik weet niet of we daarmee gelukkig moeten zijn. Ontnemen we het jonge volkje niet het genoegen van geheimzinnig gniffelen om een gelaten wind?

Vroeger ging het zo:

Moeder: Waarom zitten jullie zo te lachen?

Kinderen: Nergens om!

Moeder: Denk eraan: zoet spelen, hoor!

Nu krijgen we dit:

Kinderen: Mam, Jantje liet een Uitsmijter!

Moeder: O ja, die hoort bij de Opluchtende Winden, weet-je-wel.

Zo gaat alle lol eraf. Als iets màg, is 't niet leuk meer. Verboden vruchten smaken het lekkerst – ik hoef maar aan mijn eerste op zondag gekochte ijsje te denken.

Maar laten we ook de zonzijde zien. Dank zij Vic Sjouwerman en Anneke Hohmann ben ik vandaag in staat, die onverwerkte scheet van de broer van het dienstmeisje van de dominee eindelijk van me af te schrijven.

Dat lucht op.

Kroon voor mijn levensavond

VOLGENDE MAAND beginnen in mijn mond de werkzaamheden voor de aanleg van een kroon.

Evenals de zeewering langs onze kust vertoont mijn gebit zwakke plekken en één zo'n zwakke plek is de hoektand linksboven. Hij vormt al geruime tijd een voorwerp van zorg, maar mijn beleid ten opzichte van deze hoektand was tot dusver gericht op de korte termijn. Dit wil zeggen dat ik mijn heil zocht in semi-permanente kronen.

Een poos geleden... hoe lang precies kan ik niet zeggen... had mijn gehavende hoektand dringend behoefte aan versterking en toen is voor de eerste maal een semipermanente kroon aangebracht. Deze heeft jaren achtereen dienst gedaan. Tot mijn volle tevredenheid.

Maar op een avond gebeurde het. Ik zat in café Welling te praten met een collega en opeens, net nadat ik een slok jonge jenever had binnengelaten, dobberde de semipermanente kroon los in mijn mond rond. Hij had, dat was duidelijk, de hoektand in de steek gelaten, hij had er genoeg van, hij vond het welletjes.

Voorzichtig viste ik de semi-permanente kroon op en borg hem in een papieren zakdoekje. Des anderen daags verzocht en ontving ik een spoedbehandeling bij de tandarts. Ik voerde de nalatige kroon mee: misschien kon hij, na op z'n nummer gezet te zijn, zijn taak hervatten, maar de tandarts verwees hem naar de afvalbak.

Welgemoed bestelde ik een nieuwe semi-permanente

kroon. Het kwam mij voor dat ik heel gerieflijk mijn levenseinde zou kunnen halen met om de zoveel jaar een mijlpaal in de gedaante van een verse semi-permanente kroon. De tandarts keek enigszins bedenkelijk toen ik hem van deze opvatting deelgenoot maakte, maar had toch geen bezwaar om mijn hoektand links-boven wederom te beschermen met behulp van een semi-permanente kroon.

Na een paar weken kwam de rekening en tot mijn verbazing heette daarop... of daarin, wat moet het zijn?... de semi-permanente kroon niet 'semi-permanent' maar 'provisorisch'.

Wat betekende dit? Had ik nu een soort wegwerpkroon in mijn mond? Zenuwachtig belde ik de tandarts en deze legde uit dat 'provisorisch' computertaal was voor 'semi-permanent' en verder was er niets aan de hand. Toch was ik er niet volledig gerust op en naar wij thans zullen zien, terecht.

Op een avond, die kort achter me ligt, merkte ik bij het poetsen van mijn tanden dat de semi-permanente of provisorische kroon er niet meer was. Zomaar verdwenen. Spoorloos. Ik zocht de wastafel af, loerde in mijn waterglas, kamde de tandenborstel uit... Niets te vinden. Ook geen afscheidsbriefje of zo. En hij zat er nog geen jaar!

Nu had ik onder het motto dat een volle maag graag slaapt, vóór 't naar bed gaan nog een boterhammetje gegeten. Zou die provisorische kroon toen de benen hebben genomen, omdat hij geen overwerk wenste te doen...?

Na een, naar zich laat denken, onrustige nacht, en na een paar spannende dagen... de tandarts was een lang weekeinde de stad uit en ik wilde geen vreemde toelaten in mijn mond... vervoegde ik me opnieuw bij mijn vertrouwde tandendokter. Ik bracht hem verslag uit van mijn wedervaren en daarop heeft hij mij ernstig en pastoraal toegesproken. De assistente hield zich op de achtergrond, zodat hij zich ongeremd kon geven in zijn onderhoud met mij.

Ik moest, verzekerde hij, in de wonderlijke verdwijning van de semi-permanente kroon een vingerwijzing zien, dat de periode van voorlopige voorzieningen achter de rug was en dat het ogenblik was aangebroken, waarop hij diende over te gaan tot de aanleg van een permanente kroon.

Is dat nog wel de moeite op mijn leeftijd?, vroeg ik bezorgd. Tenslotte is 't een hele uitgave. De tandarts voorspelde me een zonnige en zorgeloze levensavond met de permanente kroon.

Toe dan maar!, zei ik.

De volgende maand is het dan zover.

Verantwoording

De volgende verhalen uit deze bundel verschenen eerder in het dagblad *Trouw*:
Lief en leed in de trein: 26-11-1988; Het wonder in het portaal: 3-2-1990; De rechterkniezwel is kapot: 29-9-1990; Fluiten op de Spiegelgracht: 16-11-1985; Zomeravond op een terrasje: 20-8-1988; Maar ik wil geen walkman!: 1-3-1988; Daar hing ik, onder Annelies: 27-8-1988; De tandarts en de hondepoep: 24-2-1990; Jeroen wil begraven worden: 23-2-1989; Roomsen met mesje verwijderd: 10-1-1989; Wachten aan een tafeltje: 9-11-1989; Heimwee op de Albert Cuyp: 22-4-1989; De meeste mensen zijn aardig: 9-7-1988; Behaarde armen bij de halte: 12-3-1988; Er stond: 'Mijn trouwe gade': 11-5-1985; Korte broek? Direct ingrijpen!: 15-9-1990; De broek onder het matras: 17-2-1990; Predikant wil op huis passen: 15-4-1989; De dame van de Maja- zeep: 30-9-1989; Gedachten na het knuffelen: 17-3-1990; Koffie in de Bonneterie: 27-7-1989; Ter nagedachtenis: 29-3-1990; Papieren vlinderstrikjes: 2-12-1986; Speculaasjes op het brood: 21-4-1990; Nee, die zijn hier niet meer: 21-10-1989; Met patates in de synagoge: 19-9-1989; Een onsje gesneden laurierdrop: 21-9-1985; Vakantie op een pleintje: 23-8-1988; Een rinkelbelle op de vélo: 31-5-1990; Vrome versjes in de storm; 6-3-1990; Een appel eten in het openbaar: 18-12-1981; Een zondagochtend met zon: 13-4-1989; Leuzen bij het fietstunneltje: 2-6-1990; 'n Luchtig taboe doorbroken: 3-11-1990; Kroon voor mijn levensavond: 28-4-1990.
De volgende verhalen verschenen in *Encore*, het blad van het Nederlands Philharmonisch Orkest: Oh, zit dat zó: 11-

1989; Na de pauze: 3-1990; In een glimmend jasje: 2-1990; Na afloop: 1-1990.

CIP-GEGEVENS KONINKLIJKE BIBLIOTHEEK, DEN HAAG

Klei, A.J.

De meeste mensen zijn aardig / A.J. Klei; [ill.: Len Munnik]. - Amsterdam: Balans - Ill.
ISBN 90-5018-124-4
NUGI 351
Trefw.: columns.